MW00628546

JESUS ERA EPISCOPAL

(¡Y también tú puedes serlo!)

Una guía para los recién llegados a la Iglesia Episcopal

Chris Yaw

ISBN 978-1-59518-077-3
Copyright por Chris Yaw, 2008 Todos los derechos reservados.

Ninguna parte de esta publicación a excepción de citas breves puede ser reproducida en manera alguna sin permiso escrito del editor. Favor de dirigir cualquier pregunta a LeaderResources, PO Box 302, Leeds, MA 01053 o a staff@ LeaderResources.org

MUCHISIMAS GRACIAS

Aprender a escribir un libro es un poco como aprender a tocar el violín.

Así que debo dar gracias primero a mis vecinos más cercanos, la buena gente de La Iglesia Episcopal Santo Tomás en Battle Creek, Michigan, quienes vivieron abajo, arriba y al lado mío, gentilmente rehusándose a golpear las tuberías o pisar demasiado fuerte a medida que poco a poco afinaba mi destreza.

Mucho de este material salió de sermones, foros y clases para recién llegados. Muchísimas gracias a todos los que participaron, persistieron y tuvieron el valor de ofrecer algunos consejos. Le doy gracias especiales a Joy E. Rogers por su liderazgo constante, confianza y compromiso con la justicia social.

A diferencia de un programa de detectives, los nombres aquí mencionados no han sido cambiados (quizá por falta de inocencia...) Las vidas y ministerios de todos los aquí mencionados me han inspirado profundamente – gracias. Lois Phelps, Kathy Surprenant y el Diácono Dale Bennett revisaron los primeros borradores de este libro. La crítica de más ayuda la dio Mark Busse quien posee habilidades de organización que aprecio casi tanto como nuestra amistad. Ginny Baldwin proporcionó editaje invalorable, además de comentarios y apoyo moral. Gracias a estos mentores ya que sin su conocimiento y ánimo este libro no se habría publicado: Fred Borsch, Nancy Fitzgerald, Carol Anderson, Wendell N. Gibbs y Rob Johnston. Gracias a Linda Grenz, editora extraordinaria, y a la editorial Leader Resources por tomar este riesgo. Gracias a Julie Diehl por su meticulosa composición y trabajo de diseño. Gracias a John y Andree de McArthur Photography por la asistencia de fotografía y a Dave Gaston por el infinito apoyo moral - hemos crecido mucho desde los días en el parque Kensington.

A los amigos que me apoyaron durante esta trayectoria; Chris Deighan, Tom Fanta, Meg Brossy, Jackie y Eric Strand, al clérigo de Eastern Deanery en la Diócesis del Oeste de Michigan, Bryan Grantz y al Instituto CREDO por ayudarme a soñar. A Jim y Nancy Yaw quienes habrían comprado cualquier libro que portara mi nombre – aunque no tuviera recetas de cocina.

Y más que todo un millón de gracias a mi amada Natalie quien escuchó, editó, y me animó en cada momento. Tu paciencia, claridad de pensamiento y consejo valen más de lo que puedas imaginarte. Te amo eternamente. Finalmente a todos los que compraron este libro, sepan que las ganancias van a las organizaciones de caridad mencionadas en las páginas a continuación.

Sin embargo, si este libro se lo regalaron (o se lo prestaron) siéntase en confianza de regresar el favor haciendo una donación a una de estas organizaciones de caridad – quizá en una suma equivalente al precio de una lección de violín.

TABLA DE CONTENIDO

INTRODUCCIÓN

Jesús era episcopal.

Ya me pescaron.

Admito que este es un anacronismo ridículamente atrevido que cuestiona nuestra propia inteligencia.

Perdónenme por favor por cualquier ofensa hecha sin intención, y por favor no rayen mi auto.

Después de todo, todos sabemos que Jesús era luterano.

O católico romano.

O miembro de la Iglesia Ortodoxa Siria de Malankara.

O metodista. O sin denominación religiosa.

O miembro de la Iglesia Predestinataria Bautista Las Dos Semillas del Espíritu.

(Y sí existen, solo busquen en Google)

O Jesús era de la religión que más les parezca - en ellas es considerado desde un 'buen maestro' hasta 'Hijo de Dios.' Podemos elegir de las miles y miles de opiniones acerca de Jesús que han formulado las iglesias establecidas en los últimos dos milenios.

¿Por qué sugerir entonces, entre todas estas opciones, que Jesús, el judío era episcopal?

Bueno, no lo era.

Pero él estaba muy interesado en hacer el tipo de obra que los episcopales están haciendo: sanando, reparando, reconstruyendo, orando, enseñando, amando y haciendo discípulos de una nueva generación de personas que están buscando a Dios.

Y yo creo que la manera episcopal de seguir a Jesús es la mejor manera que hay para equipar a una nueva generación de cristianos de Norte América para ser discípulos.

Por supuesto, hay otras maneras.

Eso es porque todos somos diferentes.

Por supuesto, la manera episcopal no funciona para todo el mundo.

Pero para un gran número de cristianos en Norte América, la Iglesia Episcopal ofrece un enfoque sin igual para lo que significa ser cristiano en un ambiente que a medida se vuelve más y más difícil.

¿Por qué?

Porque los episcopales poseemos una pequeña y compacta maleta llena de creencias, prácticas y tradiciones que proveen una manera de estar en la iglesia que es singularmente atractiva en el nuevo milenio.

Y sí, esto quiere decir que este libro es acerca de la "Iglesia" - lo que quiero decir es que es posible que estés a punto de ponerlo de regreso en el estante.

¿Y quién te culparía?

Todos sabemos que la iglesia cristiana ha sido responsable de algunas cosas bastante espantosas. Y ha tomado buena parte en persecuciones horribles.

Ha tenido su parte en situaciones controversiales. La Iglesia es responsable por las Cruzadas, la Inquisición y curiosamente una producción continua de pintorescos charlatanes. (¿Alguien ve la Televisión de Cable?).

Los primeros seguidores de Jesús argumentaron sobre quién predicaría las buenas nuevas y en dónde se haría esto (Hechos 15:36-40)

Acaloradas discusiones acerca de la divinidad de Cristo dividieron a judíos y cristianos del primer siglo. Y en el siglo XVII los "Antiguos Creyentes" Rusos Ortodoxos se separaron de Moscú mayormente porque ellos insistían en hacer la señal de la cruz con dos dedos en lugar de tres.

Todos sabemos que la Iglesia, como cualquier institución humana, está llena de defectos.

Todos sabemos que ha herido gravemente y ofendido a un incalculable número de personas, aún quizás a ti.

He aquí una opción:

Podemos mirar nuestras atroces faltas, declarar que son imposibles de redimir y deshacernos de la institución en su totalidad, lo bueno y lo malo.

He aquí otra opción:

Podemos tomar en consideración el punto de vista de quien la creó. Si hay un Dios, y yo propondría que sí lo hay, Dios ve a la Iglesia de manera diferente a como nosotros la vemos.

Muy diferente.

La Biblia dice que el Señor ve a la Iglesia como la representación terrenal de las virtudes celestiales - Jesús le llamo a esto 'El Reino de Dios' (tema principal de su predicación).

Dios ve a la Iglesia a través de la vida de cada uno de sus miembros, como portadores del amor, la paz y el perdón, lo cual está al centro del plan de reconciliación de Dios para el mundo. San Pablo escribió que la naturaleza de Dios se hace manifiesta a través de la Iglesia. (Efesios 3:10)

Esta es la visión Cristiana.

Esta es la visión de la Iglesia.

Esta es la visión de mi propia iglesia.

Soy un reverendo episcopal y este libro es acerca de mi Iglesia.

Pero no se trata solamente de quienes somos los episcopales, sino también en lo que nos estamos convirtiendo. En los últimos años la Iglesia Episcopal ha estado pasando de ser un protegido baluarte para ricos y selectos a ser la voz creciente y elocuente para los pobres y perseguidos. Es una voz de inclusión y amor compasivo.

Nosotros los episcopales llegamos a este milenio con un sentido renovado de quiénes somos y de aquello a lo que Dios nos está llamando a hacer, y las siguientes páginas son un intento modesto para contarles sobre nuestro recorrido.

Escribo este libro como alguien que tiene una inmensa deuda con la Iglesia Episcopal por su firme perseverancia en seguir a Cristo.

Escribo este libro como episcopal, sin querer hablar en nombre de cada miembro de la Iglesia (aunque no me dejarían).

Y escribo este libro como alguien que cree que Dios está siempre laborando. Dios esta activamente trabajando para redimir cada una de nuestras fallas y flaquezas – convirtiendo insignificantes pastorcillos en reyes (David), asesinos fugitivos en grandes líderes (Moisés), y comunidades apaleadas y heridas, seguidoras de Jesús en nuevas y radiantes avenidas de transformación espiritual y esperanza para el mundo.

Que las palabras que siguen a continuación abran nuestros ojos aún más a la obra activa de Dios, reflejada en los muchos rostros de Jesús los cuales encuentran expresión en la gozosa multitud de encarnaciones terrenales.

Es de esta forma en que podemos decir, sí, Jesús es luterano.

Sí, Jesús es pre destinatario bautista.

Y sí, Jesús es hasta episcopal.

1. HACIENDO

"Tenemos que poner manos a la obra para sanar al mundo.
Es a esto a lo que hemos sido llamados a hacer.
Necesitamos dejar de enfocarnos en nuestros conflictos internos.
La misión de la Iglesia es la cuestión central"

La Reverendísima Obispa Katharine Jefferts Schori
Obispa Primada de la Iglesia Episcopal

¿Pero Quién, Yo?

Cerca de la calle donde vivo hay un Hospital para Veteranos de Guerra - donde hombres y mujeres de todo el país vienen para recibir tratamiento para toda clase de enfermedades. Algunos tienen problemas físicos. Algunos tienen problemas mentales. La mayoría vienen a hospitalizase. Unos pocos viven ahí.

Mi amigo Glenn, un veterano de la guerra de Vietnam, vivía ahí.

Como todas las personas a las que he conocido quienes han estado en combate, las batallas peleadas pocas veces se quedan en el campo de batalla. Este fue el caso de Glenn. Pasó su vida luchando contra los demonios en su cabeza y no le fue posible hacer mucho más que eso. Solía llamarme muy a menudo - a veces todos los días, a veces más de una vez al día dependiendo de la cantidad de medicamentos que hubiese o no hubiese tomado. Glen me llamaba pidiendo favores muy raros que a menudo requerían bastante tiempo y resultaban caros.

Cuando esto se hizo demasiado, le pedí a una nueva miembro de la iglesia de nombre Ann si no le molestaría visitar a Glenn. ¿Pero quién, Yo? me contestó, "¡Pero no estoy entrenada para hacer eso, no sabría qué decir ni qué hacer! Sin embargo, corto tiempo después fue evidente que yo no era el único pidiéndole que visitara a Glenn. Dios estaba tocando el corazón de Ann.

Ann, quien se catalogaba como una persona tipo '¿Pero quién, Yo?,' aceptó comenzar a visitar a Glenn. Ann visitó fielmente a Glenn por más de un año antes de que él muriera. Le llevaba versículos de la Biblia, se sentaba y oraba con él.

Ann me llamó para agradecerme, poco tiempo después de comenzar a hacer esto. Me dijo que ella obtenia más de visitar a Glenn de lo que se podría haber imaginado. Y también Glenn sacaba mucho de las visitas – lo cual yo ya sabía – ya que él todavía me llamaba pero no tan frecuentemente.

Ann hizo el último año de vida de Glenn mucho mejor de lo que él o ella se pudieran haber imaginado. Dios utilizó a Ann, una de esas personas '¿Pero quién, yo?' para cambiar una vida de una forma en que sólo ella podía hacerlo. El hecho es que Dios utiliza a la gente que piensa '¿Pero quién, yo?' todo el tiempo.

Abran sus Biblias y lean sobre Abraham (el incrédulo), Jacobo y Esaú (pillos mañosos de familia problemática), y Juan el Bautista (un hombre de mal genio que llevaba una dieta rara) y verán que todos ellos se hicieron la misma pregunta, '¿Pero quién, yo?'. Ellos tenían las mismas dudas que Ann y que ustedes y yo tenemos. Todos nos preguntamos por qué razón querría Dios utilizarnos para ayudar a sanar los sufrimientos del mundo.

Pero Dios nos utiliza todo el tiempo.

Uno de los más famosos '¿Pero quién, yo?' que conozco es el cantante, líder de la banda de Rock U2 – su nombre es Paul Hewson, pero la mayoría lo conoce como Bono.

Como sabrán, él no es una típica estrella del Rock. Después de décadas en el negocio del sexo, drogas y el rock and roll Bono se las ha arreglado de alguna manera para ignorar este llamado de sirenas y poder en lugar responder a otra clase de llamado.

Una vez dio las palabras de presentación para El Desayuno de Oración Nacional en Washington, D.C. El como una persona quien se consideraba un '¿Pero quién, yo? Comenzó su discurso con las siguientes palabras: "Gracias Señor Presidente. Si se preguntan qué hago aquí, en un desayuno de oración, bueno también yo me pregunto lo mismo. Ciertamente no estoy aquí con vestimenta de clérigo a menos que la misma sea de cuero."

'¿Pero Quién, Yo?'

AG NCIA BRASIL

No sólo famoso por su música pero también su mensaje, Bono, cantante líder de U2 cuestiona a la Iglesia constantemente, "El ejemplo de Cristo está siendo degradado por la Iglesia sí ésta ignora el SIDA el cual es la nueva lepra (o la malaria o tuberculosis y cualquier otra calamidad de la pobreza extrema). Aquí la Iglesia es el gigante que duerme. Y si se despierta a ver lo que está pasando en el resto del mundo, tiene un papel que desempeñar. Y si no, se volverá irrelevante. "Como vocero de muchas organizaciones contra la pobreza y el SIDA, la trayectoria espiritual de Bono incluye ser miembro de la Iglesia Anglicana de Irlanda, prima hermana de la Iglesia Episcopal.

Objetivos de Desarrollo del Milenio (ODM)

Estos son los ocho objetivos a alcanzarse para el año 2015 y que responden a los principales retos de desarrollo del mundo. Los ODM se derivan de las acciones y metas contenidas en la Declaración del Milenio, la cual fue adoptada por 189 naciones – y firmada por 147 representantes de estado y gobiernos durante la Cumbre del Milenio de la ONU en Septiembre del 2000.

Los ocho ODMs se dividen en 18 metas cuantificables que pueden ser evaluadas a través de 48 indicadores.

- 1ª Meta: Erradicar la pobreza extrema y el hambre
- 2ª Meta: Alcanzar educación primaria universal
- 3ª Meta: Promover igualdad entre los géneros y empoderar a las mujeres
- 4ª Meta: Disminuir el índice de muerte infantil
- 5ª Meta: Mejorar la salud maternal
- 6ª Meta: Combatir el VIH/SIDA, la malaria y otras enfermedades
- 7ª Meta: Asegurar el desarrollo sustentable del medio ambiente
- 8ª Meta: Crear colaboración mundial para el desarrollo

La Iglesia Episcopal es una de las muchas iglesias que le han dado prioridad a la realización de los ODMs. Más información puede encontrarse en www.globalgood.org

Bono está tan sorprendido como ustedes y yo los estaríamos del llamado que ha surgido en su vida – para ayudar a unificar a una nueva generación en torno a los problemas del SIDA y la pobreza. Pero Dios no solo está actuando en Bono. Dios está actuando en ustedes y también en mí. Esto es porque Dios tiene trabajo que hacer Dios tiene suficiente trabajo para que hagamos.

Nunca antes han existido tantas oportunidades para ti y para mí y para una nueva generación de personas compasivas para luchar contra el hambre, la pobreza y las enfermedades y quizá hasta lograr eliminarlas.

Tú y yo nos encontramos en un momento crucial en la historia mundial - finalmente tenemos la capacidad de alimentar, vestir y aún sanar a los más pobres del mundo.

"La pobreza extrema puede erradicarse, no en la generación de nuestros nietos pero en nuestra generación," este es el llamado claro de Jeffrey Sachs del Earth Institute de la Columbia University, experto en la pobreza.

Los expertos dicen que

erradicar el hambre sería relativamente barato – la salud básica y la nutrición para los más pobres en el mundo se podría lograr por un costo estimado de 13 billones de dólares por año. En Estados Unidos se gasta más de eso anualmente en el consumo de helados.

En todas direcciones parece haber un alineamiento metafórico de planetas esperanzadores. Avances en comunicación, tecnología, agricultura y compasión están ayudando a que organizaciones e individuos traten con los problemas de la pobreza como nunca antes. Están emergiendo oportunidades increíbles para hacer el trabajo de Jesús - la sanación, la alimentación, el vestir y dar trato humanitario a un nivel nunca visto antes.

Este es el desafío para el siglo XXI.

Y Dios está llamando a la generación '¿Pero quién, yo?' para que se pongan a la altura de las circunstancias.

Dios está llamando a individuos tanto como a comunidades, comunidades de fe para que se preparen, recluten y actualicen - para que se aferren a esta nueva visión del Reino de Dios de sanación e integración. Esta visión está penetrando nuestro mundo como nunca antes - quizá porque nuestro mundo está sufriendo como nunca antes. El llamado del Espíritu puede simplemente ser el eco del lamento del amplio mundo de millones de personas que sufren - tomemos un momento para examinar el estado en que se encuentra nuestro mundo.

Ayuda a alguien a salir de la pobreza
www.kiva.org

La Pobreza

"Sin importar raza o religión, serviremos a las necesidades de los pobres y de la gente al borde del hambre" declaró el Obispo Episcopal Lloyd Allen de Honduras, parado en frente de una enorme bodega, casi ya terminada, en la cual él está supervisando un proyecto que distribuirá 35 millones de dólares en alimentos y servicios cada año en Honduras. Su nombre es '***Operation Sustaining*** y sus oficinas centrales se encuentran en una bodega en un hermoso trecho de la soleada costa pacífica. Sirve como centro de almacenaje y distribución de comida, ropa, medicina, útiles escolares y otros artículos de consumo donados. Se considera que se beneficiarán de esto casi 150 comunidades en toda Honduras. Los programas de distribución de comida y leche benefician a 200,000 niños y ancianos cada año. Aun siendo una de las Diócesis más pobres de la Iglesia Episcopal La Diócesis de Honduras es una de las de mayor crecimiento abriendo en promedio más de dos congregaciones por año en las últimas tres décadas. "En realidad" dice el Obispo Allen, "tenemos 28 comunidades en lista de espera, las cuales nos han pedido llegar a proporcionarles cuidado pastoral. Responderemos a sus llamados cuando podamos enviar un clérigo entrenado."

Desafortunadamente la profundidad de la pobreza y sufrimiento que el Obispo Allen enfrenta es extremadamente común – la necesidad sobrepasa enormemente los recursos disponibles:

- Casi la mitad del mundo, o tres billones de personas se mantienen con dos dólares o menos por día - una tercera parte de estos o un billón de personas se mantienen con un dólar o menos por día.
- Cada día 40,000 niños mueren debido a la pobreza.
- Tres cuartas partes de estos, es decir 30,000 niños, mueren de enfermedades completamente preventivas (como la picada de mosquitos y el agua no potable).
- Un billón de personas no saben escribir su propio nombre.

Esta clase de pobreza no solamente es desconcertante sino también inimaginable para la mayoría de personas en el mundo occidental. Debido a la increíble prosperidad que disfrutamos, es difícil para la mayoría de nosotros entender las necesidades de los pobres más desesperados en el mundo.

¿Qué tan rico eres tú comparado con el resto del Mundo? Visita www.globalrichlist.com para averiguarlo.

"Bajo cualquier criterio objetivo, el cinco por ciento de la población mundial quienes viven en los Estados Unidos forman una aristocracia increíblemente rica...nuestro nivel de vida ...es por lo menos tan lujoso como lo era el nivel de vida de la aristocracia en la Edad Media comparada a la de sus siervos".

En verdad, más estadounidenses mueren de obesidad que de hambre.

Esto no significa que los Estados Unidos no tiene sus propios problemas de pobreza. Las estadísticas del Censo nos dicen que 37 millones de estadounidenses viven en la pobreza y una tercera parte de estos son niños.

Los porcentajes más altos de nuestra juventud en la pobreza, se encuentran en aéreas urbanas como Detroit, donde casi la mitad de los niños son pobres. El Censo de los Estados Unidos determina que una familia de cuatro personas vive en pobreza cuando su ingreso anual es de $19,806.00. Esta determinación es problemática en sí porque tal familia tendría serios problemas sobreviviendo aún si ese salario se multiplicara por dos. Como lo indican anualmente los reportes de la Conferencia de Alcaldes estadounidenses, cada año más y más ciudadanos en los Estados Unidos están solicitando ayuda alimenticia de emergencia y albergue en nuestras grandes ciudades. Los bajos salarios y el problema de la falta de vivienda son las causas principales.

Las enfermedades

La brutal injusticia de las enfermedades empeora aún más las cosas.

Las más mortales son el SIDA, la tuberculosis y la malaria.

Éstas afectan desproporcionadamente a los más pobres entre los pobres en el mundo, especialmente aquellos que se encuentran en el África Negra.

¿Acaso Los Estados Unidos no aporta ya lo suficiente?

Repetidamente las encuestas muestran que la mayoría de ciudadanos en los Estados Unidos piensan que su gobierno gasta demasiado en ayuda al exterior y que la cantidad correcta presupuestada debería ser el 10%.

En realidad, entre todos los países ricos, Los Estados Unidos aporta la cantidad más pequeña - menos del 1% de su ingreso anual bruto.

Sí, los estadounidenses son generosos, nuestras corporaciones, fundaciones y ciudadanos individuales aportan 240 billones de dólares anualmente, sin embargo, menos del 2% de la filantropía privada estadounidense es enviada al exterior.3

Veamos el ejemplo de una abuela de nombre Marta quien vive en el monte en una choza de lodo en la parte Norte de Namibia. Marta, su hija y por lo menos uno de sus nietos padecen de SIDA. La tuberculosis también ha causado estragos en el cuerpo de Marta, lo cual es una aflicción común y sin cura entre los que padecen de SIDA. Su tratamiento depende de una enfermera del Centro de Salud Saint Mary quien hace visitas a los hogares. "El VIH/SIDA se halla en todas partes," dice el asistente del Obispo Petrus Hilukilua. El encuentra durante sus visitas de Confirmación a las parroquias locales que, "A menudo me dicen que hay cierto número de candidatos [pero cuando él llega se encuentra con que] una persona falleció o que varios fallecieron en los últimos días, así que en verdad celebramos una Eucaristía dolorosa."

La crisis del SIDA es una de las epidemias más destructivas en la historia.

- El SIDA ha infectado a más de 40 millones de personas alrededor del mundo, 65% de estos viven en el África Negra.
- 5% son niños.
- Diariamente más de 1,400 recién nacidos son infectados con el virus del VIH al nacer.
- Este año cerca de 5 millones de personas contraerán el SIDA - la gran mayoría viven en áreas como Namibia que cuenta con poca capacidad para proporcionar tratamiento adecuado.

En los Estados Unidos

- 40,000 personas continúan siendo infectadas con VIH/SIDA anualmente
- 73% son hombres, 65% son Afro-Americanos o Hispanos.

Gracias a los avances médicos, menos estadounidenses están muriendo de la enfermedad. El índice de muerte para las personas con SIDA bajó un 30%, poco tiempo después del comienzo del nuevo milenio.

Como en el caso de Marta una de las enfermedades ligadas con el SIDA es la tuberculosis (TB). Esto es también más común en áreas pobres de África y Asia. La tuberculosis mata cerca de dos millones de personas anualmente aunque, a diferencia del SIDA, esta sí tiene cura. Increíblemente una tercera parte de la población mundial lleva consigo la bacteria que causa la tuberculosis. Una de cada diez personas contraerá la enfermedad a lo largo de su vida. La tuberculosis está aumentando. Es una enfermedad transmitida por el aire. Es muy contagiosa. De hecho un paciente con tuberculosis activa infectará de 10 a 15 personas cada año.

Compra una red contra mosquitos y salva una vida. www.nothingbutnets.net

La malaria es la tercera de las enfermedades mortales. Es portada por mosquitos. Infecta un total de 300 millones de personas cada año. Un millón de personas mueren de Malaria anualmente. El 90% de sus víctimas se encuentra en el África Negra. Se estima que el costo de la enfermedad para el continente es de 12 billones de dólares en pérdidas del producto nacional bruto. Lo irónico es que costaría mucho menos el tratamiento, la prevención y las tiendas para dormir fabricadas con insecticida, que de hecho son baratas.

A grandes rasgos, la pobreza y enfermedad son los problemas más apremiantes de nuestra era. Punto. Ninguna cantidad de atención es suficiente.

La historia elogiará o condenará a nuestra generación dependiendo de cuál sea nuestra respuesta a estos desafíos.

Pero dependiendo de quién seas y de dónde vivas estos problemas podrían parecer distantes. La violencia, el racismo, el abuso físico y sexual, las drogas y el alcohol, los juegos de azar, la pornografía, la decadencia urbana, la soledad, la depresión, u otra serie de dificultades podrían jugar un papel mucho más importante en tu vida.

Nuestra letanía de preocupaciones está al alcance de la mano como un periódico, el cual desafortunadamente, nunca está falto del tipo de noticias que producen titulares en la prensa.

El Alivio y Desarrollo Episcopal

(Según sus siglas en inglés ERD) El ERD (www.er-d.org) es la principal organización de ayuda de la Iglesia Episcopal. Además de proveer continuo apoyo a proyectos importantes, también provee ayuda de emergencia cuando ocurre un desastre.

Mientras que en promedio, las organizaciones de caridad gastan 20 centavos de cada dólar en costos administrativos, el ERD gasta solamente siete centavos de cada dólar en este tipo gasto.

Despertando a los dormidos; los elegidos entumecidos

Afortunadamente estos problemas no son la única cosa digna de crear titulares de prensa.

A menudo leemos acerca de personas y organizaciones tratando de resolverlos – como El Ejército de Salvación, la Sociedad de la Media Luna Roja, Médicos sin Fronteras, Mercy Corps, El Alivio y Desarrollo Episcopal y una de mis favoritas la Campaña ONE. Hay miles más – doy gracias a Dios por todos aquellos que en todas partes están ayudando a traer alivio y restauración a nuestro cansado mundo. Dios utiliza a personas de religión – Dios usa ateos – Dios utiliza a todas las personas. Y muy frecuentemente lo único que estos tienen en común es que en algún momento se han hecho la misma pregunta; '¿Pero Quién, Yo?'

Esto incluye a la Iglesia Episcopal.

Como muchas iglesias oficiales, en el pasado se nos ha llamado 'los elegidos entumecidos – una iglesia que muchos han caracterizado con estar más preocupada con su propia preservación y un poco alejada de las necesidades del pueblo de Dios. Muchos nos han dado por descartados como un grupo menguante de liberales introspectivos, completamente dormidos en la Luz. Pero como muchas iglesias estamos volviendo a despertar a la posibilidad de una vida cristiana más auténtica y desafiante. Hoy, como nunca antes, la iglesia Episcopal está en marcha - preguntándose, '¿Pero Quién, Yo?'

Hacemos esta pregunta porque a través de nuestras oraciones y adoración escuchamos al Señor invitándonos a asumir nuestra responsabilidad en los enormes desafíos que afrontamos. También oímos la voz del Espíritu, que nos vuelve a concientizar sobre los enormes dones que Dios nos ha dado. Los episcopales nos estamos dando cuenta de nuevo que Dios ve un enorme potencial en cada uno de nosotros:

- Dios ve nuestra pasión como devotos del Evangelio de Jesucristo.
- Dios nos ve dispuestos a luchar contra la pobreza, las enfermedades y la injusticia.
- Dios nos ve como pensadores.

- Dios nos ve como personas de mente y disposición abierta.
- Dios nos ve como reconciliadores y perdonadores.
- Dios nos ve creando comunidades inclusivas y llenas de fe.
- Dios nos ve como defensores de tradiciones valiosas.
- Dios ve nuestra devoción a la Santa Eucaristía.
- Dios nos ve brindando útiles oportunidades misioneras.
- Dios ve que tenemos buenas nuevas que compartir.

Todos sabemos que no tenemos que ser episcopales para resolver los problemas del mundo - los religiosos nunca han tenido la autoridad en cuestiones de moralidad. Pero Dios está utilizando a la Iglesia Episcopal para realizar el trabajo que desesperadamente necesita cumplirse – dar de comer, sanar y reconciliar a un mundo herido que simplemente está esperando que asumamos nuestra responsabilidad.

Sí, el Señor planea cambios de mucho impacto.

Y nosotros queremos ser parte de esto.

No, nosotros no somos todo lo que se necesita.

Y ciertamente no estamos a cargo de esto.

Pero nos abrochamos el cinturón de seguridad, empacamos un buen almuerzo, nos pellizcamos para ver si estamos soñando y nos unimos a cada santo y profeta que nos ha precedido y a la vez nos seguimos preguntando: '¿Pero quién, yo?'

2. TRANSICION

"No es cuestión de tener lo que uno quiere – sino querer lo que uno tiene."

Sheryl Crow

Escudriñando

Todos los domingos en la noche, mi amigo Jack dirige un grupo de más o menos seis cristianos a través de un intenso curso a nivel de posgrado – titulado EFM (según sus siglas en inglés) – que significan 'Educación para el Ministerio' (menciono más sobre esto en la página 83) – pero debido a que comienzan sus reuniones con una gran comida (a la que traen todos algún plato) Jack dice que el nombre del curso debería ser en realidad 'Alimentación para el Ministerio.'

Una vez que se han lavado los platos y se comienza la reunión alguien se para y da lo que se llama una 'reflexión teológica.' Esta es una forma detallada de hacer una de las cosas más importantes que cualquier persona puede hacer: examinar su propia vida.

Las reflexiones teológicas responden a preguntas básicas como: ¿Qué es lo que el Espíritu Santo está planeando en mi mundo? ¿Cómo se ha arraigado el Espíritu en las almas y acciones de aquellos que me rodean? ¿A qué me ha conducido el Espíritu? ¿A dónde me está guiando el Señor ahora? Las reflexiones teológicas utilizan la Biblia y a la comunidad reunida para ayudar a las personas a resolver y darle sentido a las complicaciones de sus vidas.

La reflexión teológica es la manera cristiana para escudriñar nuestras vidas.

Lo que quiero decir con escudriñar es el acto consciente de hacer distinciones importantes de aquello que influye sobre nuestras vidas. Es una forma de ejercicio mental en la cual todos participamos diariamente.

Escudriñar es nombrar aquellas cosas que son esenciales y nombrar aquellas que no lo son. Esto se pone en práctica cuando decidimos qué leer, qué comprar, qué escuchar – prácticamente todas aquellas cosas sobre las cuales tenemos control en nuestras vidas.

Si no escudriñamos, nos vamos a la deriva.

La mayoría de nosotros reconocemos las increíbles oportunidades que tenemos para cambiar al mundo. Sabemos que están al alcance de la mano. Sabemos que pueden llevarse a cabo.

¿Entonces por qué no simplemente… hacerlo?

Es porque vivimos en un tiempo en el cual hacer este tipo de trabajo es realmente muy, muy difícil. Existen fuerzas enormes que trabajan para mantenernos dormidos y apartarnos de nuestro propósito, soñando despiertos y distraídos- mientras que el Espíritu nos hala por un lado, otro sinfín de cosas distintas nos halan por el otro.

Así que antes de adentrarnos demasiado en los elementos básicos de la Iglesia Episcopal, veamos la situación de la Iglesia en Los Estados Unidos, para ayudarnos a entender porque mi tradición puede ser especialmente beneficiosa.

Como veremos, la cristiandad estadounidense está en un período muy firme de transición.

Y requiere que escudriñemos aún con más seriedad.

Pasando el tiempo

Recuerdo haber leído en algún lugar que hace unos dos mil años el emperador romano Nerón tocaba su violín mientras que Roma ardía.

Esto pasó porque Nerón estaba demente.

Bien, hoy en día podríamos argumentar que tú y yo y la mayoría del mundo occidental estamos haciendo lo mismo – nos preocupamos con el entretenimiento y las diversiones mientras que la mayoría del mundo lucha por subsistir.

Y nosotros como Nerón, también tenemos una excusa. Llevamos vidas complicadas y llenas de estrés, llenas de incertidumbres aterradoras – vidas que podríamos también llamar, 'dementes'. A menudo no consideramos el amplio panorama porque no tenemos tiempo para hacerlo.

Vamos siempre de prisa.

Somos impacientes

Pareciera que no podemos hacer una sola cosa a la vez.

La televisión nos ofrece la capacidad de ver 'pantalla sobre pantalla.'

Las máquinas para hacer ejercicio están llenas de revistas.

Los nuevos autos ofrecen teléfonos incorporados.

Lo estudios indican que las personas acumulan un total de 31 horas de actividad en un período de 24 horas al hacer más de una sola cosa a la vez. (Efectuar tareas múltiples a la vez)

En promedio trabajamos un mes más por año de lo que solíamos trabajar hace 35 años. Dormimos un 20% menos de lo que dormíamos hace 100 años. De hecho en la última década de siglo XX, en los Estados Unidos se han triplicado las clínicas que tratan el insomnio.

Los últimos 100 años nos han proporcionado más avances tecnológicos que todo el milenio anterior. Y la última década nos ha dado más descubrimientos que el siglo anterior. Actualmente, el ritmo del avance occidental ha alcanzado tal velocidad que los tecnólogos dicen que un año es equivalente a una década. Muchos negocios estadounidenses ya no pierden tiempo haciendo planes para los próximos diez años, es más, aún los planes de 5 años se consideran especulativos.

A pesar de este progreso estamos todavía luchando con dificultades.

En generaciones anteriores una persona que devengaba un salario promedio y además de mantener a su familia podía pagar vivienda, trasporte, impuestos y seguro médico utilizando el 54% de su salario. Hoy para cubrir todos estos gastos, más el costo del cuidado infantil (porque ahora las dos personas trabajan), toma el 74% de nuestro salario. El pago promedio por hora es apenas un poco más de lo que era hace 35 años, ajustado a la inflación. El salario de un hombre de 30 años es hoy un 12% menos que el de un hombre de la misma edad unos 30 años atrás. Estamos trabajando mucho más duro pero en términos de dólares, estamos ganando mucho menos.

La vida moderna con todos sus avances, ha puesto a muchos de nosotros en rutinas sin fin que nos roban toda la energía - sus requerimientos hacen que nos acostemos demasiado tarde y nos levantemos demasiado temprano.

¿Quién tiene el tiempo o la energía para escudriñar todas estas cosas?

No nosotros.

Apenas tenemos tiempo para pensar.

Y muchos ni siquiera tenemos tiempo para eso.

He aquí donde nos encontramos:

- El 52% de los estadounidenses creen en la astrología.
- El 42% creen en la comunicación con los muertos.
- El 53% creen que Dios creó a los seres humanos en su forma actual exactamente como esta descrito en la Biblia.
- Cuando las personas que visitan el Gran Cañón toman vuelos en helicóptero para verlo, los guías normalmente dan dos explicaciones sobre su origen sin hacer prejuicio – una está basada en la geología; la otra describe la posibilidad de que la cosa entera es el resultado de 40 días y 40 noches de lluvia.

El antropólogo Thomas de Zengotita nos desafía a tomar una encuesta de cualquier grupo en una clase de posgrado en Humanidades y preguntarles cuántos creen en fenómenos paranormales o secuestros por extraterrestres. Si son honestos, sus respuestas no serán muy distintas a la de una audiencia del programa de televisión de Oprah. "En su mayoría, no afirmarán, una creencia contundente, pero tampoco querrán desmentirlo totalmente. Quizás, dirán, ¿quién sabe? o ¿Quién puede estar totalmente seguro de nada?

Stephen Prothero, profesor de religión dice 'exactamente lo mismo'. Su especialidad es la enseñanza sobre la religión en Los Estados Unidos, la cual, él ha descubierto que se encuentra en un vacío casi abismal.

Prothero dice que solamente el 10% de nuestros adolescentes pueden nombrar las 5 religiones más grandes del mundo. El 15% no puede nombrar ninguna de ellas. Y de nosotros, casi dos tercios creemos que la Biblia contiene las respuestas a casi todas las preguntas básicas en la vida y sin embargo la mitad de nosotros no podemos nombrar ni siquiera uno de los evangelios. Prothero dice que la mayoría de estadounidenses no saben cuál es el primer libro de la Biblia y otro 10% cree que Juana de Arco era la esposa de Noé.

Somos una nación de religiosos sin mucho conocimiento sobre la religión. Podríamos achacárselo a lo que los científicos denominan como 'el atontamiento de los estadounidenses.' Y hay suficiente culpabilidad para repartirse:

- Los medios de prensa agresiva.
- El aumento en las familias separadas.
- La disminución del contacto entre padres e hijos, la falta de supervisión, de autoridad y de control.
- La falta de tiempo cualitativo con la familia
- El aumento de demandas e incertidumbres en nuestros lugares de trabajo.

Todo esto contribuye a nuestra menguante habilidad para platicar, pensar, trabajar, escribir y prestar atención.

La socióloga Jane Healy encuentra todo esto en los salones de clase. Ella dice que los maestros se han visto forzados a preparar clases y exámenes más fáciles, porque los padres de familia y administradores escolares están demandando mejores calificaciones. Ella señala un estudio que compara resultados de exámenes de lectura dados en 1964 y 1988: El examen de 1964 se dio a estudiantes promedio y este probó ser mucho más difícil que el examen de 1988, al cual se le llamó un 'examen avanzado.'

Y he aquí la sorpresa: el examen del 64 fue para estudiantes de cuarto grado.

El examen del 88 fue para estudiantes del noveno grado.

Si tú ves las cosas como yo, pensarías que nuestras iglesias se darían cuenta del problema. Pensarías que estamos poniendo manos a la obra para ayudar a las personas a escudriñar todo esto.

Pero no lo estamos haciendo.

De hecho, se podría decir que estamos empeorando las cosas.

Las 15 denominaciones cristianas más grandes en Los Estados Unidos

Nombre de denominación	Miembros (miles)
Católica Romana	67,821
Convención Bautista del Sur	16,267
Metodista Unida	8,186
De los Últimos Santos (Mormona)	5,999
De Dios en Cristo	5, 450
Convención Nacional Bautista Estadounidense	5,000
Evangélica Luterana en EEUU	4,930
Convención Nacional Bautista de las Américas	3,500
Iglesia Presbiteriana, EEUU	3,189
Asambleas de Dios	2,779
Iglesia Episcopal Metodista Africana	2,500
Convención Nacional Bautista Misionera	2, 500
Convención Nacional Progresiva Bautista	2, 500
Iglesia Luterana Sínodo de Missouri	2,464
Iglesia Episcopal	2, 284

Tomado de: El Libro Anual de Iglesias Estadounidenses y Canadienses del 2006. Consejo Nacional de Iglesias.

Hoy en día aproximadamente un 85% de estadounidenses se identifican como cristianos en los Estados Unidos - existen ahora más cristianos en los EEUU de los que han existido en cualquier otro país en la historia del mundo. Pero todos sabemos que el símbolo más conocido de nuestra fe, la iglesia institucional, es grandemente considerada irrelevante y fuera de contacto con la realidad.

Muy raramente se toman en serio las opiniones de la iglesia.

Tendemos más a la reacción que a la proacción.

A menudo nuestros voceros más sobresalientes son relegados a ser el material para chistes baratos en los programas nocturnos de comedia, en lugar de ser cuestionados para que opinen sobre asuntos mundiales importantes.

El cristianismo en Los Estados Unidos tiene un serio problema con su imagen, especialmente entre jóvenes, de acuerdo al encuestador David Kinnaman. Sus estudios muestran que un increíble porcentaje de todos aquellos que se encuentran fuera de la iglesia, entre los dieciséis y veintinueve años de edad, ven a los cristianos con hostilidad, resentimiento y desdeño.

Así es como nos describen:

- Anti-homosexuales 91%
- Prejuiciosos 87%
- Hipócritas 85%
- Anticuados 78%
- Demasiado involucrados en la política 78%
- Fuera de contacto con la realidad 72%
- Insensibles para con los demás 70%
- Aburridos 68%

Kinnaman dice que sería difícil sobrestimar, "el rechazo que las personas sienten por parte de los cristianos y hacia los cristianos." O veámoslo de otra forma, cuando te presentan a un amigo, vecino o socio de negocios que no es cristiano, es como si tú tuvieras tatuado en la frente; "anti-homosexual, hipócrita, crítico." Puede que no nos veamos a nosotros mismos de esta manera, pero otros así lo hacen.

Quizás esto es porque muchos cristianos están fuera de contacto con el mensaje central de Jesús y se han alejado de las virtudes cristianas esenciales; como la humildad, la generosidad y el perdón. No conociendo muy bien la Biblia, hemos tal vez perdido contacto con la idea principal del mensaje del Evangelio y tratamos de dar cabida y hacer concesiones a un mensaje que en realidad no funciona muy bien cuando esta diluido.

Muchas de nuestras iglesias están más dispuestas a creer en la religión civil estadounidense de una doctrina de destino manifiesto, del patriotismo y de valores familiares' que en tomar seriamente las duras palabras del evangelio de 'tomar tu cruz' y 'ofrecer tu vida a Cristo.'

Dale un vistazo a la silueta de cualquier gran ciudad.

Reinan los íconos del comercio.

Desde las sedes de corporaciones hasta centros comerciales de almacenes, todas sin vergüenza alguna proclaman la principal prioridad en los Estados Unidos.

¿Qué nos demuestra sobre nuestra sociedad 'cristiana' el hecho de que raramente exista una iglesia, una oficina de servicios sociales u otro símbolo de nuestra fe que sea de tamaño o prestigio similar?

¿Qué significa el que la mayoría de nosotros probablemente nunca hemos escuchado esta alarmante estadística: si cada cristiano en Los Estados Unidos diera solamente el 10% de sus ingresos para alimentar a los hambrientos, el hambre mundial pasaría a ser historia?

En cambio, los críticos religiosos dicen que la mayoría de cristianos han adoptado la pasión estadounidense del mercado libre secular sin hacerse preguntas importantes.

Vemos esto en servicios religiosos que ofrecen un evangelio centrado en el yo, donde el sentirse bien y satisfacer las necesidades propias son la más alta prioridad. La psicología popular ha sacado la exégesis bíblica del púlpito. No es una gran sorpresa, ya que los libros de auto-ayuda ahora se venden más que los libros de teología en la mayoría de librerías cristianas. Un sociólogo lo denomina como el triunfo de la terapéutica.

El evangelio de hoy es a menudo reducido a un mensaje enfocado en la salvación individual – la pregunta fundamental es la centrada en el mismo ser: '¿Estoy salvo?' En muchas iglesias el proceso de crear discípulos se ha tornado en ejercicios espirituales y de religión que tratan con la salvación personal - hemos separado el don de Dios en Cristo de la verdadera razón por la cual fue entregado a nosotros: para empoderarnos con palabra y acción para ser discípulos de Cristo en el mundo.

Cuando el típico predicador de pueblo grita, ¡'Somos salvos para servir'! Estoy segurísimo que quiere decir que los cristianos tienen que servir a su prójimo y no a sí mismos.

La creación de comunidades que desarrollan vidas sobresalientes de auto sacrificio, reconciliación y servicio parece ser más y más difícil de encontrar.

Y para ser justos, la simple tarea de ser la Iglesia, es enorme.

No podemos exagerar el impacto que nuestra sociedad tiene sobre nuestras congregaciones.

Enfrentamos increíbles y aún irresistibles tentaciones para ser parte de nuestra cultura.

Nuestro mundo nos define a través de nuestro valor económico y el total de nuestras experiencias y posesiones.

Los anuncios publicitarios nos inundan en cada esquina. Su propósito no es el informarnos sino crear un deseo de consumo dentro de nosotros. Asombrosamente, logra convencer a una sociedad con opulencia de que no tiene lo suficiente para sobrevivir con comodidad.

Los lujos se reclasif ican constantemente como necesidades. Hoy en día invertimos más por año en anuncios publicitarios de lo que invertimos en instituciones públicas de enseñanza superior. Pocos pueden argumentar en contra de la evaluación de un experto: nuestro "creciente y acomodado nivel de vida es el dios de Los Estados Unidos en el siglo XXI, y el publicista es su profeta."

Servimos a una sociedad donde la política pública principal es el aumento de la riqueza personal y nacional - y no el ayudarnos a amar a Dios y a nuestro prójimo. Un comentador dice, "cuando la teología de una iglesia tiene como visión el nadar rio arriba – y la mayoría de los miembros están flotando rio abajo en sus yates – algo tiene que cambiar. [Normalmente] es la teología de la cual nos deshacemos y no de los yates."

Vivir de acuerdo a la descripción bíblica del cristianismo se ha vuelto muy difícil.

A Jim Wallis, un activista, le gusta contar la historia de cuando en su primer año en el seminario, él y algunos otros estudiantes decidieron leer toda la biblia, versículo por versículo para quitar cada referencia sobre los pobres, los ricos, la pobreza, la injusticia y opresión y las respuestas de Dios a estas.

Wallis dice que encontraron miles de versículos.

De hecho, éste era el segundo tema más prominente en el Viejo Testamento (el primero era la idolatría, y los dos temas están a menudo relacionados).

En el Nuevo Testamento, uno de cada 16 versículos trata de estos temas. En los primeros tres evangelios, esto sucede en uno de cada diez versículos.

En el evangelio de Lucas es uno en cada siete.

La historia de Wallis nos obliga a preguntarnos: ¿Qué clase de escudriñamiento estamos haciendo?

¿Por qué estamos dejando pasar por alto todas estas cosas importantes?

¿Qué nos mantiene alejados de aferrarnos a lo que es más importante, importantísimo?

Transición

La respuesta corta es que el cristianismo en Los Estados Unidos se encuentra en un estado de confusión sumido en una dolorosa transición. No es lo que una vez fue, ni parece saber lo que quiere ser. Somos como niños en una rueda de carnaval que da vueltas demasiado rápido.

Y no podemos bajarnos.

Así que utilizamos gran parte de nuestras energías en simplemente mantenernos agarrados.

Las disminuciones sistemáticas en la membrecía, que primero azotaron a iglesias que han existido por muchos años (como la Iglesia Episcopal) continúan propagándose. La denominación protestante más numerosa en Los Estados Unidos, la Convención Bautista del Sur, ha declarado públicamente su preocupación por su futuro. Aún con la ola de nuevos inmigrantes latinos, la Iglesia Católica Romana está cerrando parroquias.

Nuestros mejores y más inteligentes prospectos no van ya al seminario - en su lugar muchos están optando por Hollywood, la Avenida Madison y Wall Street.

La mayoría de estadounidenses no temen al ostracismo social o a la condenación eterna cuando faltan a la iglesia el domingo por la mañana. ¿Nos sorprende entonces que el enfoque de la mayoría de nuestras iglesias no sean los temas del Evangelio sobre la pobreza, la injusticia y el hacer del mundo un mejor lugar – sino la supervivencia?

Al teólogo Alex Roxburgh le gusta utilizar el diagrama que se encuentra abajo.

Muestra tres áreas, Pre-Constantina (0-315 AC), Cristiandad (Edad Media), Pos-Cristiandad (Hoy).

Durante los primeros siglos del Cristianismo la iglesia permaneció al margen del centro dominante de la cultura. Las flechas muestran como este pequeño grupo ejercía influencia. Luego, a medida que creció y se esparció el Cristianismo, y fue adoptado por los poderes dominantes en el mundo, su influencia se esparció desde adentro hacia afuera. Hoy en día la iglesia no es una potencia política, y en muchos lugares ya no tiene un impacto significativo sobre las estructuras de poder dominantes. "Confundida e insegura," escribe Roxburgh, "la iglesia de hoy probablemente está más preocupada de su propio futuro que de su influencia; la seguridad y la sobrevivencia tienen mayor prioridad sobre sus compromisos misioneros con nuestra cultura posmodernista."[10]

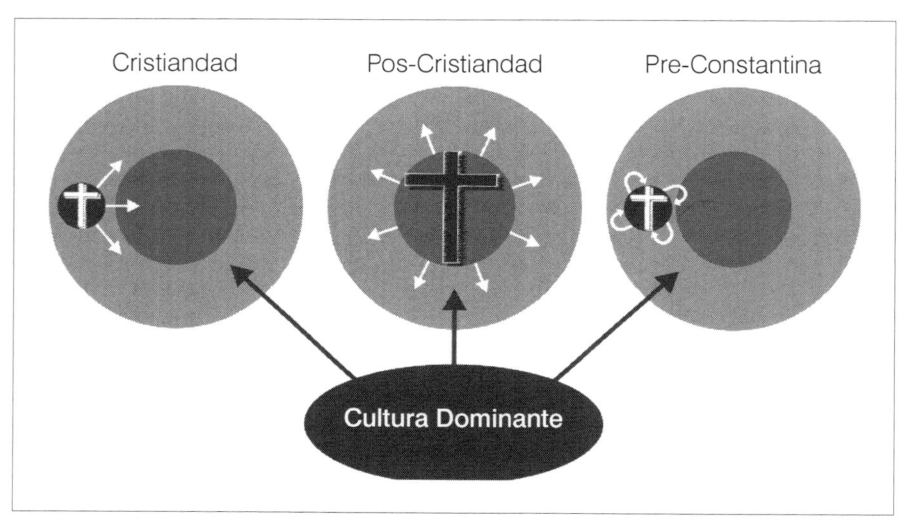

Y todo lo que necesitamos hacer es mirar los escándalos y argumentos que están estremeciendo a nuestras iglesias – desde la sexualidad humana hasta el gobierno de la iglesia y todo lo que se encuentra en el medio. Hemos dejado que nuestras peleas sean el centro de atención.

Por supuesto que tenemos que lidiar con asuntos de doctrina y disciplina. Pero esta constante preocupación de hecho nos ha causado laringitis.

Hemos perdido nuestra voz. Hemos caído en la irrelevancia.

Un crítico dice, "en todos lados tenemos personas que se consideran moralmente superiores, peleando con otros grupos que también se creen moralmente superiores. Dios está diciendo 'No' a...estos debates triviales que estamos teniendo en la iglesia mientras que cientos de miles de personas mueren de hambre."

¿No sabemos acaso que a muy poca gente fuera de nuestras congregaciones le importa esto?

Bien, nos estamos dando cuenta.

Muchos de nosotros vamos a la iglesia porque queremos desarrollar nuestra espiritualidad en el contexto del Evangelio y una comunidad cristiana.

No venimos a pelear sobre quien tiene o no tiene la razón. Venimos a escuchar sobre el mensaje de Jesús. Estamos hambrientos por encontrar un lugar honesto donde podamos crecer en conocimiento espiritual y aprender cómo Jesús nos enseña a ayudarnos a nosotros mismos y a los demás.

Y Dios está escuchando nuestras oraciones.

Renovación

Mi iglesia, como la de todos, está pasando por una difícil transición al siglo XXI. Mucho escudriñamiento se está llevando a cabo. Como mencioné anteriormente, casi todas las iglesias protestantes principales nos estamos recuperando de un período de falta de vitalidad cristiana. Por una gran variedad de razones, en los últimos años del siglo XX, nos hemos encerrado en nosotros mismos y se nos ha hecho difícil mantenernos enfocados en nuestra misión cristiana. Un experto dice que estamos satisfechos con nosotros mismos y nos hemos descarrilado:

"Muchas iglesias dominantes se convirtieron en algo parecido a una versión de un club rotario, viendo a la iglesia como un lugar de religión para aceptación social y contactos de negocio. En un sentido muy real, los protestantes tradicionales mantuvieron un ideal de amplitud de criterios mientras que sacrificaron la realidad de que la gente está espiritualmente enferma y necesita sanación. Todos eran bienvenidos sin ninguna otra demanda espiritual más que el amoldarse a algún tipo de moralidad protestante generalizada.

Como resultado, muchas de las congregaciones tradicionales olvidaron las prácticas que originalmente crearon sus tradiciones, haciendo de la participación en sus iglesias algo opcional, en la mejor de las circunstancias, e irrelevante, en la peor de las circunstancias... [Cuando llegaron los años setenta] la iglesia era una extensión de las aspiraciones de posguerra de la clase media, dirigida por burocracias que estaban en el negocio de la fe.

El mayor problema con esto es que Jesús no vino a la tierra a comenzar un negocio de fe. Jesús no vino para apoyar al Sistema.

Jesús no tenía intenciones de crear burocracias.

Jesús vino para romper las estructuras del poder y cambiar nuestra forma de pensar.

Jesús vino para comenzar una revolución.

Lo que Jesús dijo fue tan poderoso que la gente literalmente dejaba de hacer lo que estaba haciendo para seguirlo.

El mensaje de Jesús era tan atrayente que la gente vendió todas sus posesiones para practicar lo que él enseñaba – y servir a los pobres, a los enfermos y a los afligidos.

Los historiadores nos dicen que Jesús ha influenciado nuestro planeta más que ninguna otra persona en la historia del mundo.

Jesús comenzó una contrainsurgencia basada en el amor, la misericordia, la inclusión y el perdón y fue ejecutado a causa de esto.

Y Jesús pidió a sus seguidores que tomaran las mismas acciones - para lograr llegar más allá de sí mismos.

Es increíble que alguno le siguiera.

Pero por dos mil años, billones lo han hecho. Por lo menos lo hemos tratado.

Los libros de historia recopilan los relatos de nuestros éxitos y fracasos.

La iglesia de Dios asciende y desciende en relación a su fidelidad.

Cuando algunas partes experimentan dificultades, otras toman vuelo.

Nos desarrollamos entre arranques y comienzos.

Y parece que ahora Dios cree apropiado el darnos un nuevo comienzo.

Una Caja de Herramientas

La renovación de la Iglesia Episcopal puede solamente basarse en el Evangelio de Cristo Jesús y nuestra devoción al seguimiento de su palabra y ejemplo sin importar el costo. Históricamente, ningún otro fundamento ha ayudado a los cristianos a servir al mundo con más eficacia.

La Iglesia Episcopal

- 6,900 parroquias
- Asistencia promedio en domingo de una parroquia promedio – 129 personas
- 1.6 millones de miembros
- El 52% de las iglesias fueron construidas antes de 1950
- Es una de las 44 iglesias nacionales y regionales que conforman la Comunión Anglicana (80 millones de miembros)
- Al clero se le llama respectivamente Diácono, Sacerdote y Obispo
- El clero está formado de mujeres y hombres
- El sacerdote es llamado 'Padre' o reverendo
- La sacerdote es llamada 'Madre' o reverenda
- La palabra 'episcopal' puede ser tanto un sustantivo como un adjetivo, un sustantivo cuando se refiere al nombre propio de la Iglesia, la Iglesia Episcopal; y un adjetivo cuando describe la religión de la persona, como en el caso de 'Juana es episcopal'.

Los episcopales construyen este cimiento usando una muy vieja y particular caja de herramientas. La cual se nos ha sido entregada de generación en generación, por un grupo de personas que han afinado, pulido y perfeccionado las valiosas herramientas que la misma guarda. Son herramientas como la razón, la reconciliación, la moderación, la transparencia, la aceptación, la inclusión y la tradición.

Por supuesto que los episcopales no somos los únicos que poseemos estas herramientas, pero somos únicos en la manera en que las usamos.

Queremos utilizarlas para unirnos al Proyecto Continuo de Rehabilitación Terrenal del Señor.

Queremos poner nuestros dones a trabajar para ayudar a corregir las injusticias en nuestras comunidades y en el resto del mundo. Queremos cumplir con nuestra responsabilidad de ayudar a crear un reino de sanación, misericordia, justicia y paz; el cual es posible cuando elegimos el camino de Dios. Y lo queremos compartir con todos y cualquier persona que quiera recibirlo.

En los capítulos a continuación, veremos más de cerca estas herramientas y las formas especiales en que los episcopales hacemos uso de ellas.

Sabemos que el Señor está seriamente trabajando en la construcción de El Reino.

Por eso, traemos nuestra caja de herramientas.

3. PENSANDO

"El Anglicanismo no representa la tolerancia con el fin de llegar a un acuerdo sino la comprensión con el fin de alcanzar la verdad."

Ex Arzobispo de York, Dr. Cyril F. Garbett

Pensando

Hace años, cuando vivía en California, solía pasar el tiempo con un grupo pequeño de cristianos de mi parroquia. Nos reuníamos dos veces al mes para tomar café, comernos un panecillo y pasar un poco de tiempo estudiando la Biblia.

Una mañana nos encontrábamos sentados alrededor de mi sala hablando de cómo fuimos a dar a la Iglesia Episcopal (el 70% de los episcopales son conversos). Roberta se encontraba allí – ella es una periodista – una reportera de la calle– y no alguien a quien se le pasa por encima. Nunca se me va a olvidar la manera en que ella lo explicó.

Roberta me dijo que la razón por la que empezó a asistir a la Iglesia Episcopal fue porque de todas las personas cristianas que conocía, los episcopales eran los menos fastidiosos.

Todos reímos disimuladamente, principalmente porque todos conocemos a un buen número de episcopales que lo son.

Pero en el trasfondo de su comentario creo que lo que estaba intentando decir era que había encontrado un lugar donde podía ser ella misma. Había encontrado un lugar donde no se sentía juzgada. Había encontrado un lugar que era abierto y que la aceptaba mientras trataba de entender lo que Dios quería en su vida.

Pero sobre todo, pienso que Roberta, la interrogadora, había encontrado un lugar donde podía hacer una de las cosas más importantes para lo que Dios la había creado: cuestionar.

Muy pocas personas pueden negar que uno de los grandes dones de Dios es la curiosidad. Podemos hacer preguntas. Podemos debatir las preguntas. Podemos razonar.

A medida que el tiempo ha transcurrido, nuestra sed por el conocimiento se ha convertido en una maravillosa gama de descubrimientos. Solo veamos las cosas que hemos soñado – la imprenta, la serpentina en aerosol, el motor de combustión interna, las palomitas de maíz instantáneas, la cirugía estética abdominal y aún la música disco.

Pero, por alguna razón a la cristiandad se le conoce más por su sospecha que por su celebración del uso de la razón. Muchos cristianos que están justificadamente preocupados con los efectos hostiles de un mundo en decadencia, tienden a observar a la cultura en general con más escepticismo que con apreciación. Durante dos mil años los cristianos han vivido un tanto incómodos entre una tensión real entre el amor por un mundo que Dios creó y al que llamó "bueno," y un mundo donde el pecado y la muerte reinan libremente.

En una cultura que está creciendo cada vez más compleja y complicada, no es bueno para nosotros ni para el mundo el que enterremos nuestras cabezas en una montaña de arena religiosa. Con arena en los oídos es más difícil pensar. (y además, pica).

Y, Dios quiere que pensemos.

Esto es algo que mi Iglesia me ha ayudado a hacer. La Iglesia Episcopal me ha permitido encontrar respuestas al permitirme a mí hacer las preguntas..

A mi iglesia se le ha conocido por mucho tiempo por su creencia de que toda la Creación es obra de Dios - y es buena, muy buena.

Los dones de la razón y el intelecto fueron creados por Dios y para la gloria de Dios.

Por supuesto, los episcopales no son los únicos que creen esto. Pero quisiéramos que más personas también lo hicieran.

Principalmente, porque hay mucha gente pensante como Roberta, que está buscando lugares donde se sientan seguros para poder preguntar, y encontrar respuestás, y saber que Dios está justo en medio de todo esto.

www.beliefnet.org/espanol

Una Razón para la Adoración

No hace mucho tiempo fui a Utah con una docena de adolescentes bulliciosos de mi iglesia. No, no fue porque haya perdido una apuesta – íbamos en un peregrinaje.

Nos adentramos en el desierto en la búsqueda de un Dios que ya todos sabíamos estaba con nosotros. Mientras hacíamos la caminata a través del desierto, caminando por las veredas y escalando montañas, sabíamos que no éramos los primeros Europeo-Americanos allí. Ya los mormones habían llegado antes de nosotros en 1847. Y pronto después de ellos, un Obispo de la Iglesia Episcopal se les uniría.

A diferencia de los otros ministros no mormones que le habían precedido, él fue bien recibido y se quedó. Fue algo bueno porque el Obispo Daniel Tuttle realizaría una obra importante y hablaría de algunas cosas bastante importantes acerca de la fe y la razón.

Tuttle fue enviado como obispo misionero a Montana, Idaho y Utah en 1867. Un grupo de personas no mormonas le habían contactado y querían que estableciera una iglesia en la Ciudad de Salt Lake. Buscaban a alguien que no entrara en discusiones con los mormones, pero que al mismo tiempo fuera firme en sus convicciones.

Querían a alguien que les pudiera ayudar a articular aquello que ellos creían y que lo hiciera de manera respetuosa y racional.

Y el Obispo Tuttle aceptó. Era un hombre bien educado y con facilidad de palabra. Entendía las cualidades del razonamiento, la lógica y la ingenuidad humana. El veía las mismas, como las expresiones de la obra de Dios, hechas para el mayor bienestar del mundo.

Durante sus diversas reuniones con sus amigos y vecinos mormones, frecuentemente apelaba al uso de la razón como una parte integral de su fe. Entendía que el estudio profundo de lo que nosotros creemos es parte central de lo que nosotros queremos llegar a ser – personas que viven vidas auténticas.

El decía lo siguiente:

"Tenemos una fe que no teme razonar y una razón que no se avergüenza de adorar."

El Obispo Tuttle creía que así como los cuerpos necesitan ejercitarse, las mentes también fueron creadas para ser usadas, estiradas, desafiadas y para alcanzar su mayor potencial. Aunque Tuttle no estaba de acuerdo con la religión mormona, fue lo suficientemente sabio para tratarles como vecinos con amabilidad y respeto; manteniendo relaciones cordiales. Predicaba y vivía la Regla de Oro que dice, 'Hagan ustedes con los demás como quieren que los demás hagan con ustedes.'

El Obispo Tuttle se convirtió en el primero y en el más respetado al establecer una institución religiosa en Utah que no fuese mormona. Décadas después de su fallecimiento, el presidente de la Iglesia mormona le agradeció diciendo, "El fue al este del país y dijo la verdad sobre nosotros, que éramos 'un pueblo recto, serio, temeroso de Dios y al servicio de Dios.' Aunque no estaba de acuerdo con nosotros, admiraba nuestra integridad."

El Trípode

Si el Obispo Tuttle estuviera con nosotros hoy en día, nos recordaría que los episcopales balanceamos nuestras creencias de la misma manera que lo hace el trípode de una cámara. Las tres patas representan la Biblia, la tradición y el sentido común (comúnmente conocido como "la razón").

Generalmente, la primera pata se enfoca en lo que el Nuevo Testamento dice; la segunda se refiere a lo que siempre ha tendido a ser el consenso cristiano; y la tercera, es aquello que funciona y que parece ser la verdad de nuestra experiencia diaria en relación a la actividad de Dios en la creación.

Como en el caso de un trípode, se requiere de las tres patas para alcanzar un balance – si una pata se viene abajo, la cámara se cae y se arruina.

Como una forma de llegar a la verdad, los episcopales creemos que el sentido común es simplemente insustituible (hablaremos acerca de la Biblia y la tradición más adelante). Este nos ayuda a interpretar las Escrituras y la tradición. Y se apoya de las otras dos para ser corregida e iluminada.

El sentido común es más que un puro cálculo, que una lógica fría o la síntesis de una experiencia subjetiva de la vida. En cambio, el mismo atrae el entendimiento y la experiencia humana en su totalidad y nos ayuda a comprender lo que debemos hacer en cada situación de la vida. [2]

Por supuesto, que esto no significa que el sentido común es infalible. Sabemos que no lo es. Pero mientras reconocemos que el razonamiento humano puede corromper y distorsionar, los episcopales rápidamente señalamos que nuestra inteligencia también puede llevarnos a una verdad y a un entendimiento más profundo de Dios y de sus caminos misteriosos.

Los episcopales creemos que mientras el racionalismo – la dependencia única en nuestras facultades intelectuales – es un pecado, también lo es el anti-intelectualismo, el cual descarta la capacidad de la mente y deja las decisiones más importantes de la vida en manos de la superstición y una fe ciega.

Está es la razón por la que los episcopales son normalmente partidarios de apoyar la educación. De hecho, muchos de nosotros somos educadores.

Los fundadores de muchas de las universidades más prestigiosas en Inglaterra y los estados unidos pueden ser vinculados a una convicción cristiana de que Dios viene a nosotros no solamente por medio de la Biblia y la tradición, sino por medio de la aplicación de nuestro intelecto. Compartimos el patrimonio de muchas de las más distinguidas instituciones educacionales de nuestro país. Las mismas fueron creadas debido a la alta estima tanto por el don de la inteligencia como por la responsabilidad que Dios nos da para desarrollar nuestros dones y utilizarlos para lograr el mayor bienestar del mundo.

Cegados por la Ciencia

Una de las maneras en que los episcopales vivimos nuestras convicciones es mediante conversaciones abiertas y

El Trípode forma la Tradición

Visiten varias Iglesia Episcopales y se darán cuenta de las sutiles distinciones en el rito, la arquitectura y la liturgia. Estas preferencias son comúnmente conocidas como Iglesias Anglo-Católicas, Iglesias Evangélicas e Iglesias Liberales. En general, las mismas se refieren a la pata del trípode a la que se inclinan.

Las Iglesias Anglo-Católicas, o como se les conoce en inglés "High Churches" se enfocan en la tradición y de allí nuestra herencia católica, lo que se observa en la prominencia de la liturgia formal (el olor a incienso y las campanas), los crucifijos y los sacramentos.

Las Iglesias Evangélicas o también conocidas en inglés como "Low Churches", se enfocan en la Escritura y la herencia protestante. La adoración se caracteriza por la devoción subjetiva, la conversión personal y su decoración poco elaborada.

Las Iglesias Liberales o también conocidas en inglés como "Broad Churches", se enfocan en la razón. Tradicionalmente son indiferentes a la doctrina y la liturgia, en algunos casos estas iglesias pueden o no usar formas tradicionales de rito y decoración.

La mayoría de las parroquias son influenciadas ya sea por una, por dos o por las tres.[3]

substanciales con el mundo de la ciencia. La mayoría de los episcopales están de acuerdo en que la ciencia y la religión no se oponen una a la otra, sino que de hecho están intelectualmente "relacionadas".

Uno de mis profesores del Seminario le gustaba ponerlo de está manera:

Imagínense que entran a una cocina y ven a dos personas observando una tetera sacando vapor mientras hierve en la estufa.

Ustedes se preguntarán, "¿Qué está pasando?"

La primera persona, quien es una científica, dice, "Es simple. El gas natural encendido está en contacto con el metal de la tetera, lo cual está forzando que las moléculas del agua sufran un cambio dramático el cual pronto provocará que el vapor salga por el pito de la tetera y entonces produzca un fuerte silbido."

Mientras que esto es ciertamente correcto, su respuesta es muy diferente de la respuesta de la segunda persona', quien es una sacerdote.

Ella responde a la pregunta de '¿Qué está pasando?' con una respuesta simple, "Quiero una taza de té."

En otras palabras, la ciencia y la religión están fundamentalmente relacionadas de manera distinta, en la búsqueda de la verdad, "Ambas están buscando la respuesta. Ninguna puede demandar certeza absoluta del conocimiento, ya que cada una debe basar sus conclusiones en una interacción entre la interpretación y la experiencia. En consecuencia, ambas deben estar abiertas a la posibilidad de la rectificación. Ninguna trata simplemente con simples hechos u opiniones. Ambas son parte del gran esfuerzo humano por comprender."[4]

Nuestra convicción en la razón requiere de nosotros que tomemos de manera seria nuestra búsqueda por el conocimiento y la verdad, al enfrentar lo que yo describí en el último capítulo como nuestra cultura esquizofrénica – que quiere poseer los últimos descubrimientos técnicos mientras se aferra a una fe de escuela primaria.

Es absolutamente necesario que la Iglesia vuelva a reclamar el lugar correcto de la búsqueda de la razón y el intelecto en sus comunidades de fe. Necesitamos un cristianismo que esté abierto a las cada vez más y más

La Fe de Charles Darwin

Charles Darwin fue bautizado anglicano. Asistía a una escuela de la Iglesia de Inglaterra y estudiaba teología con la intención de convertirse en sacerdote. En años posteriores su fe sería de nombre más que todo. Pero su devoción a la investigación y la búsqueda de la verdad nos da una herencia perdurable sobre la importancia de la investigación crítica y la experimentación como disciplina cristiana.

complejas formas en las que llegamos a la verdad.

Necesitamos una estructura que nos permita la libertad de vivir auténticamente con las ambigüedades de la vida, sabiendo que la pregunta honestá es una forma de vivir fielmente.

Necesitamos darnos cuenta que la maduración de nuestras mentes esta inseparablemente unida a la salvación del alma.

Estas convicciones han llevado a muchos episcopales a involucrarse en conversaciones sustanciosas y continuas con científicos y teólogos en una variedad de áreas. También nos ha ayudado a tomar decisiones más inteligentes sobre nuestras posturas políticas como Iglesia (más información en la página 138). Nuestro interés en la ciencia nos ha llevado a escribir libros, artículos y hasta proyectos científicos. La siguiente es una porción de uno de esos proyectos que nos da una idea de lo que algunos episcopales están diciendo sobre la ciencia[5]:

¿Acaso la Biblia enseña sobre la ciencia?

¿Podemos encontrar conocimiento científico en la Biblia?

Los episcopales creemos que la Biblia "contiene todas las cosas necesarias para la salvación" (Libro de Oración Común, p. 762): la cual es la fuente inspirada y de autoridad sobre la verdad acerca de Dios, Cristo y la vida Cristiana. John Polkinghorne, siguiendo al teólogo anglicano del siglo XVI, Richard Hooker, nos recuerda a nosotros los anglicanos y episcopales que la Biblia no contiene todas las cosas necesarias sobre todo lo demás. La Biblia, incluyendo el libro del Génesis, no es un libro de texto científico que haya sido dictado divinamente. Descubrimos conocimientos científicos acerca del universo de Dios en la naturaleza y no en las Escrituras.

¿Puede la cosmología de la teoría del Big Bang o de la Gran Explosión comprobar la doctrina de la creación de la nada?

No. La cosmología de la teoría del Big Bang parece estar en armonía tanto con el concepto de la creación de la nada y con la creación continua. Sin embargo, la teología no depende de la ciencia para verificar sus doctrinas, así como la ciencia no depende de la teología para verificar sus teorías. No obstante, la ciencia puede exhortar a la teología para explorar nuevos pensamientos sobre la relación entre Dios y la creación, así como lo han hecho la cosmología del Big Bang y la teoría de la evolución.

¿Es apropiado hablar sobre la evolución de la creación?

Sí. Cuando los astrónomos observan el espacio también observan el pasado. Por lo tanto, son capaces de ver nuestro universo en diferentes etapas de la evolución cósmica desde el inicio del Big Bang. Aquí en la tierra, los biólogos, genetistas, paleontólogos y otros científicos están comprobando que la vida ha evolucionado por más de cuatro billones de años y están reconstruyendo la historia de la evolución. Ninguno de estos descubrimientos científicos y las teorías que los explican están en conflicto con lo que la Biblia nos revela sobre la relación de Dios con la creación.

Oración de la Sociedad de Científicos Ordenados

Dios todopoderoso, Creador y Redentor de todo lo que es, fuente y fundamento del tiempo y del espacio, de la materia y la energía, de la vida y el conocimiento; otorga a todos los que estudian los misterios de tu creación, la gracia para ser testigos verdaderos de tu gloria y mayordomos fieles de tus dones; por medio de Jesucristo nuestro Señor.
Amén.

¿Qué es lo que los teólogos están diciendo sobre las actividades creativas de Dios en vista de los descubrimientos y teorías científicas modernas?

Aunque los teólogos han propuesto diferentes modelos de la forma en que Dios actúa en un mundo que evoluciona, también están de acuerdo que a Dios se le entiende mejor como quien interactúa con el mundo en vez de quien interviene en él – un Dios que está íntimamente presente en el mundo (como también lo revela la Escritura) en vez de un Dios que se encuentra "allá en lo alto". De acuerdo al ya fallecido biólogo y sacerdote anglicano, Arthur Peacocke, Dios actúa como Creador "en, con y bajo" el proceso casual natural y de la selección natural. La teóloga Elizabeth Johnson escribe que Dios utiliza mutaciones genéticas al azar para asegurarse de la variedad, resistencia, novedad y libertad en el mundo. Al mismo tiempo, el universo opera de acuerdo a ciertas leyes naturales o "causas secundarias" por las que Dios, la Causa Principal, asegura la regularidad y confiabilidad en la naturaleza. El físico y teólogo Howard Van Till escribe que Dios le ha dado de manera creativa y generosa a la creación todos los poderes y capacidades "desde el comienzo" que le permiten organizarse y transformarse a sí misma en la variedad de átomos, moléculas, elementos químicos, galaxias, estrellas, y planetas en el universo y especies de seres vivientes en está tierra.

En este universo que evoluciona, Dios no dicta el resultado de las actividades naturales sino que le permite al mundo convertirse en su mayor potencial y en toda su diversidad: uno podría decir que Dios tiene un propósito más que un plan fijo, una meta más que un plano detallado. Así como el ministro anglicano del siglo XIX, Charles Kingsley lo diría, Dios ha hecho un mundo que es capaz de hacerse a sí mismo. Polkinghorne declara que Dios le ha dado al mundo un proceso libre tanto como le ha dado al ser humano el libre albedrío. El Amor Divino (1 Juan 4:8) libera al universo y a la vida para desarrollarse como le es posible, utilizando todos sus poderes y capacidades dadas por Dios. El universo, como lo dijo Agustín de Hipona en el siglo cuarto, es "la canción de amor de Dios." Debido a que la canción de amor de Dios es derramada en la creación, el teólogo Denis Edwards asegura que "el Dios Trinitario está presente en cada criatura tanto en su ser como en su llegar a ser." Estos son algunos de los conceptos que algunos teólogos contemporáneos han ofrecido para explicar la relación de Dios en una creación que evoluciona constantemente.

Y aunque la Iglesia Episcopal nunca ha hablado de manera oficial sobre la evolución o el diseño inteligente, hemos de manera general aceptado la evolución desde el tiempo de Darwin hasta el presente. Nuestra Convención General ha pasado una resolución afirmando la habilidad de Dios para crear en cualquier forma y diseño, lo cual podría incluir la evolución.

Los anglicanos y episcopales, algunos de los cuales son tanto teólogos como científicos, continúan contribuyendo al desarrollo de nuevas teorías y teologías sobre una creación que continúa evolucionando. Esto es algo que parece que estamos aprendiendo cada vez más.

Pan Celestial

Uno de mis recuerdos de pequeño, es cuando estaba sentado en frente de la televisión en blanco y negro en el cuarto de mis padres y viendo la misión espacial de Apolo 11. Y mientras mis hermanos y yo veíamos embobados a Neil Armstrong y Buzz Aldrin rebotar lentamente en la luna y recoger rocas espaciales nunca nos hubiéramos imaginado que algo aún más impresionante estaba sucediendo.

El domingo, 20 de julio de 1969, Buzz Aldrin, un cristiano devoto, celebró la Santa Eucaristía en la luna.

Así es – recibió la comunión – dentro de una pequeñísima cápsula espacial.

Y no utilizó barras de comida espacial ni jugo de naranja Tang.

Aldrin llevaba consigo un poco de pan y vino.

La palabra 'Eucaristía' es griega y significa acción de gracias.

Para la mayoría de cristianos, la Eucaristía es la forma suprema de dar gracias.

Buzz Aldrin era un científico y astronauta de primera categoría.

Como muchos de sus contemporáneos, incluyendo los episcopales Frank Borman, Jim Lovell y Al Worden, estoy seguro que como ustedes y yo, el también luchó con preguntas sobre la ciencia y la religión.

Pero lo que su 'comunión cósmica' me dice es que encontró una forma de ver sus dones de curiosidad intelectual y científica florecer mientras también se acogió a esa parte misteriosa de sí mismo que anhelaba una satisfacción espiritual.

Comunión Cósmica

El piloto del módulo lunar, Edwin "Buzz" Aldrin, llevó consigo algo muy especial en su lonchera... pan y vino para celebrar la Comunión en la luna. Debido a preocupaciones de índole política, la NASA mantuvo esto como un secreto durante dos décadas hasta que salió a la luz en las memorias de Aldrin. Con un doctorado del Instituto Tecnológico de Massachusetts (según sus siglas en inglés MIT), el Coronel Aldrin fue reconocido como uno de los primeros astronautas con mayor educación, "un verdadero científico," y sin embargo respetado por sus colegas como un cristiano devoto.
La primera Santa Comunión celebrada en la luna es significativa por varias razones:

- El primer líquido derramado en la luna con una gravedad de 1/6vo., fue la Sangre de Cristo.
- La primera comida y bebida consumida por humanos en otro cuerpo celestial fue el Santo Sacramento.
- El acto más remoto de adoración nunca antes hecho (a 235,000 millas de la Tierra) fue la celebración de la muerte y resurrección de Jesucristo.6

El Sacramento realizado en el espacio por Buzz Aldrin me llena de esperanza.

Me dice que existen comunidades de fe en las cuales se puede hacer verdaderas preguntas acerca del mundo real a mí alrededor. Y que si no encuentro todas las respuestas, eso también está bien.

Dios está allí.

El pueblo de Dios está allí.

Y no estoy solo en esta búsqueda.

Y por supuesto que la Iglesia Episcopal no es el único lugar donde se aceptan las preguntas.

Somos uno de muchos lugares que se esfuerzan por estar en conversación con nuestro mundo que es tanto maravilloso, hermoso, aterrador, complicado, mágico, acogedor, misterioso como peligroso.

Nosotros vemos el acto de hacer preguntas como una característica dada por Dios de lo que somos llamados a ser.

Fuimos creados para hacer preguntas y cuando lo hacemos nos convertimos cada vez más en aquello que fuimos llamados a ser.

Los cristianos necesitamos tanto al científico como al ministro.

Necesitamos del microscopio como del manuscrito.

Estas son cosas que nos hacen pensar. Y eso no solo es algo bueno, sino que es algo de Dios.

4. TODOS SON BIENVENIDOS

"[La Iglesia Episcopal] es la Iglesia más amplia en la Cristiandad...
La misma acepta los hechos básicos de la fe cristiana
como símbolos de verdades transparentes, las cuales pueden ser interpretadas por cada persona
a medida que su propia percepción explora su profundidad y maravilla.
Si se entendiera de una manera mejor su espíritu y su actitud,
sería tanto el refugio como el hogar de muchas mentes afligidas
que se sienten desgarradas entre la lealtad a la fe antigua y la nueva verdad."

Escrito por un converso de la Iglesia Episcopal

Bienvenidos

Una de mis buenas amigas dice que el siguiente es su chiste favorito – un ministro bautista, un sacerdote católico y un sacerdote episcopal llegaron a las puertas del cielo y se pararon en frente de San Pedro.

Pedro les dijo, "Les dejaré entrar únicamente si me pueden responder correctamente la siguiente pregunta: ¿Quién dicen ustedes que es Jesucristo de Nazaret?

Los tres ministros se rascaron la cabeza. El ministro bautista habló primero. "Bueno," le dijo, "la Biblia dice..." Y San Pedro le interrumpió inmediatamente. "Lo siento, pero quizás no entendiste mi pregunta, yo pregunté, ¿quién crees TU que es Jesús? No puedes entrar en el cielo."

Luego habló el sacerdote católico. "Bueno," le dijo, "el Papa dice..." Y de nuevo, San Pedro interrumpió, "Lo siento, pero yo te pregunté, ¿quién dices TU que es Jesús? Tú tampoco puedes entrar al cielo."

Y ahora le tocaba al episcopal, quien inmediatamente entró en la conversación diciendo, "Jesús de Nazaret es el Hijo único de Dios, El que vino por nosotros para redimir al mundo del pecado y El es mi Señor y Salvador."

Y San Pedro sonrió.

Y mientras dejaba entrar a la sacerdote al cielo ella se volteó y agregó, "Sin embargo..."

Tal vez ya se han dado cuenta, pero los episcopales tenemos la reputación de observar las dos caras de la moneda. Muchos de nosotros somos curiosos y nos gusta explorar nuestras opciones. Algunas personas admiran nuestra intrepidez. Elogian nuestra paciencia y neutralidad. Otros dicen que no estamos dispuestos a tomar una postura – un típico caso de 'no ser ni de aquí ni de allá.'

Un columnista de un periódico muy serio en una ocasión dijo que nos apresuramos en acoger, "cualquier cosa que los elementos liberales de la sociedad secular consideren permisible o políticamente correctos." Pero nosotros pensamos que nuestra indecisión por hacer juicios morales generalizados y escribir listas largas de reglas está enraizada en una fe rigurosamente bíblica e histórica.

De hecho estamos justo en el centro de una línea larga de pensadores cristianos que creen que uno de los mensajes centrales de Jesús es la aceptación, la apertura y la inclusión. Vemos el atributo primordial de Dios – el amor – hecho carne y sangre en Jesucristo.

Y Jesús es el anfitrión de la fiesta cuyas primeras palabras siempre son, 'bienvenidos."

El Timón

No hace mucho tiempo, una historia en las noticias describió a un juez del Tribunal Supremo de Justicia del Estado quien realmente amaba los Diez Mandamientos. Una de las primeras cosas que hizo después de tomar posesión de su cargo fue literalmente grabar en piedra sus creencias para que todos las vieran.

Así como anteriormente había expuesto los Diez Mandamientos en su sala del tribunal colocó un monumento de granito de dos toneladas y media de los Mandamientos en la rotonda del edificio judicial estatal. Emprendió una batalla legal sobre el lugar de la religión en la arena pública. Los medios de comunicación cayeron en oleadas. "Dios ha escogido este tiempo y este lugar para que podamos salvar a nuestra nación y salvar nuestros juzgados por el bien de nuestros hijos" declaró el juez a CNN. [1]

Después de que fuera destituido de la magistratura por no haber quitado el monumento, empezó a viajar a través del país con su 'roca.'

El juez y su roca aparecieron en reuniones, iglesias y tiendas de almacenes. Conductores de vehículos le alcanzaban mientras jalaba su roca con su vehículo, le bocinaban y le hacían gestos de aprobación.

Se destapó una caja de Pandora religiosa. Un 77% de norteamericanos no habían estado a favor de que el monumento fuera removido de la propiedad pública. Aparentemente, no tenían ningún problema con este tipo de moralidad.

Este juez, como muchos de nosotros, se sintió destrozado por la pérdida de la importancia religiosa en la cultura de hoy. Y trató de realizar un cambio.

Muchos de nosotros añoramos los días en los que se aceptaba orar en las escuelas; aquellos días en que los índices de divorcio eran bajos y el clima económico permitía que uno de los esposos pudiera quedarse en casa cuidando a los niños sin poner en riesgo financiero a la familia. (Por supuesto que esos 'buenos días de antaño' no fueron para nada buenos para las personas de raza negra que tenían que utilizar baños separados de los blancos, y para quienes los trabajos no domésticos estaban fuera de su alcance; para los homosexuales y lesbianas quienes estaban socialmente excluidos; y para la mayoría de mujeres a quienes las oportunidades fuera de la casa eran limitadas o hasta en algunos casos inexistentes.)

El haber removido ese monumento sirve como indicador social del final de la era religiosa en Los Estados Unidos.

Es una transición que ha estado sucediendo por muchos años y nadie sabe cuándo va a terminar.

Pero lo más importante es la forma en que lidiemos con el asunto.

En momentos como estos, todos añoramos tener estabilidad. ¿Pero acaso lo logramos al enterrar cada vez más hondo las anclas de nuestras convicciones religiosas? ¿O estamos dispuestos a correr el riesgo y desatar los amarres de nuestros botes que han estado firmemente anclados en preconcepciones y permitir entonces que nuestra fe tomé el timón?

¿Cómo miramos nuestra fe?

¿Con anclas o al timón?

La mayoría de episcopales creemos que las 'Buenas Nuevas' del Evangelio tratan de algo más profundo que el moralismo que se encuentra detrás de campañas políticas con respecto a asuntos como los Diez Mandamientos.

Se trata de algo más flexible que nos conduce al centro de la libertad, del perdón y de la salvación. La mayoría de los episcopales respetamos los derechos de hablar y actuar de todas las personas, pero solemos evitar hacer esta clase de declaraciones públicas generalizadas sobre la moralidad.

No es porque no creamos en los Mandamientos. Sino que nosotros, los episcopales, como muchos cristianos, creemos que el mensaje principal del Evangelio es el perdón de los pecados y la reconciliación del penitente.

Creemos que esto es el centro de lo que Jesús enseñó y vivió.

El Perdón

Después de que Jesús resucitó de entre los muertos, el libro de San Lucas nos cuenta que Cristo se le apareció a los discípulos.

Les dijo, "Está escrito que el Mesías tenía que morir, y resucitar al tercer día, y que en su nombre se anunciará a todas las naciones que se vuelvan a Dios, para que él les perdone sus pecados. Comenzando desde Jerusalén." (San Lucas 24:46-47) En otra parte en San Lucas, Jesús le dice a sus seguidores, "Les digo, si ustedes mismos no se vuelven a Dios, también morirán." (San Lucas 13:3) Más adelante, San Pedro dice, "Por eso, vuélvanse ustedes a Dios y conviértanse, para que él les borre sus pecados." (Hechos 3:19) En las historias y parábolas del Hijo Pródigo (San Lucas 15), La Mujer Adúltera (San Juan 8) La Parábola de la Viuda y el Juez Injusto (San Lucas 18) el gran mensaje de Jesús, recalcado desde la cruz, es el arrepentimiento y el perdón de los pecados.

Desde el principio, los seguidores de Jesús se han regocijado con este increíble regalo.

Como lo dice San Pablo, "Dios nos libró del poder de las tinieblas y nos llevó al reino de su amado Hijo, por quien tenemos la liberación y el perdón de los pecados. (Colosenses 1:13-14) Cuando nos arrepentimos por medio de Cristo, todos nuestros errores y defectos son maravillosamente puestos a un lado por un Dios que nos ama de manera incondicional e ilimitadamente.

No es que lo entendamos.

Simplemente es lo que es.

¿Pueden creerlo?

Si usted dice que no, créame que no está solo.

A través de la historia, los cristianos

Los Episcopales y el Divorcio

Muchas personas encuentran su camino hacia la Iglesia Episcopal después de que han salido de un divorcio. La iglesia genuinamente les acepta no porque no valoremos el matrimonio, sino por la manera en que lo entendemos. El matrimonio es un esfuerzo humano y como cualquier otra cosa que intentamos, algunas veces fallamos a pesar de hacer nuestro mayor esfuerzo. Cuando un matrimonio falla, nosotros creemos que el primer lugar que debe ayudar a la persona a reanudar su vida es la iglesia.
Así que la Iglesia muy rara vez requiere una anulación formal o una renunciación de la relación previa para recibir la Comunión. Las anulaciones generalmente no son requeridas para volver a casarse. Sin embargo, nos preocupamos mucho en que las responsabilidades que salen de un matrimonio que ha terminado sean cumplidas de manera adecuada.
El divorcio es un asunto delicado y su clérigo local episcopal con mucho gusto escuchará cualquier pregunta que pueda tener.

han tenido un gran problema con el hecho de recibir el perdón de Dios. Una y otra vez nos preguntamos a nosotros mismos: ¿Acaso Dios puede amarme tanto? ¿Me lo merezco? ¿Soy capaz de retribuirle su amor?

Sí, no y no.

Nuestra salvación no se basa en nuestra generosidad sino en la generosidad de Dios. No hay nada que podamos hacer para ganarla. Y no hay manera de retribuirla. Todo lo que podemos hacer es tratarla como cualquier otro regalo. Tomarla, dar gracias, disfrutarla y compartirla.

Pienso que la mayoría de nosotros sabemos en el fondo de nuestros corazones que nuestra fe no se trata tanto de ***actuar*** – o de retribuir sino es más que todo de ***ser*** **–** de recibir con regocijo esta gracia 'maravillosa'.

El problema nunca es con Dios, sino nosotros.

El teólogo, L. William Countryman afirma que, "El mensaje del perdón nos dice, '¡Sobrepónganse!'", Sobrepónganse de su bondad y su rectitud, si las mismas lo amenazan con distanciarlo de participar completamente de su humanidad. Sobrepónganse de sus fallas y su ineptitud, si éstas son las que los están refrenando. Sobrepónganse de aquello que los obsesiona, de cualquier cosa que les haga rechazar las muestras de aprecio de Dios... aquello que les haga imaginar que hay algo en este mundo que es más importante y más fundamental que el amor.

Al contrario, déjense amar.

"¿Por qué lo habrían de rechazar? Tal vez lo hagan por despecho porque ustedes creen que Dios no les está tomando en serio. O quizás lo hagan por vergüenza y pena porque Dios está siendo más bueno con ustedes de lo que ustedes piensan que se merecen. De cualquiera manera, sobrepónganse. Ustedes han sido perdonados."[2]

Este es el Evangelio que el mundo busca.

Es mucho más atractivo para aquellas personas que han sido heridas y golpeadas por demasiadas personas religiosas con buenas intenciones que están obsesionadas con la moralidad.

En general, a los episcopales no nos gusta definirnos en base a lo que no estamos de acuerdo. Preferimos ser conocidos por aquello con lo que estamos de acuerdo. Como es la justicia, la reconciliación y el perdón.

La mayoría de nosotros creemos que el Evangelio que nuestros jóvenes de 15 años necesitan desesperadamente no es un examen final de las reglas de abstinencia, sobriedad y exceso (reglas que ya ellos conocen demasiado bien), sino la certeza de que el perdón es ofrecido al penitente en el nombre de Jesús.

Pueden encontrarse historias impresionantes de gracia y perdón en www.theforgivenessproject.com

Afrontémoslo – conocemos las reglas.

Y como el estereotipo del turista típico estadounidense que trata de ordenar en Paris un café, no necesitamos hablar el inglés más y más fuerte a nuestro mesero francés sino tratar de hablar un lenguaje distinto – el lenguaje del arrepentimiento y el perdón.

El mundo del moralismo promete un refugio temporal basado en reglas que a nosotros nos gustan. El moralismo se adentra en la Biblia tratando de encontrar versos que "respalden" su caso.

Pero el tomar el mensaje del arrepentimiento y perdón seriamente requiere que tomemos un paso de fe que nos puede parecer un poco temerario y que siempre estaremos tentados a evitar.

¿Se han dado cuenta que muchas de las personas en la Biblia elegidas para hacer la obra de Dios llevaban vidas poco fiables? Por ejemplo, Sansón, quien era incapaz de decirle "no" a Dalila.

O Jonás, quien miró al otro lado cuando Dios le llamó para profetizar en Nínive y el ilustre San Pablo, cuya meta en su vida en algún momento fue de casi aniquilar la cristiandad.

Un peligro que corremos al predicar sobre el moralismo versus el arrepentimiento y el perdón de los pecados es que al hacerlo construimos una pared – y un día de estos puede ser que nosotros mismos nos encontremos del otro lado de la misma.

Todos estamos muy familiarizados con la historia del político que se la pasa sermoneando sobre la moralidad. Y a quien lo encuentran en un cuarto de hotel de mala muerte con otra mujer (o con un hombre...)

... O el caso del ministro que predica sobre los valores familiares y es arrestado por malversación de fondos en su iglesia.

Lo que ellos necesitan, lo que nosotros necesitamos, no es escuchar más sobre la crueldad del comportamiento humano – necesitamos comprender que hasta nuestras mejores obras son demasiado pequeñas para impresionar a Dios. Somos incapaces de renacer 'simplemente siguiendo las reglas del buen comportamiento.' Todos tenemos la gran necesidad de la esperanza de la resurrección de Jesucristo y la promesa del perdón de Dios.

Nuestros pecados radicales requieren del perdón radical.

Esto es lo que la mayoría de episcopales ven como el centro del Evangelio.

Creemos que la misericordia de Dios sobrepasa el juicio de Dios.

Una de las frases más conmovedoras en nuestro libro de oración es cuando el Sacerdote ora sobre el pan y el vino diciendo, "sin embargo te suplicamos aceptes éste nuestro deber y servicio obligatorio, no pesando nuestros méritos, sino perdonando nuestras ofensas."[3]

Y aunque todos nosotros haremos muchas cosas buenas durante nuestra vida, la mayoría de los episcopales creemos que Dios no es un Santa Claus divino – haciendo una lista de todo lo bueno que hacemos (y de lo malo), La generosidad de Dios desafía el entendimiento humano sobre quien pensamos nosotros que es 'bien portado y mal portado'. Nos regocijamos en la característica dominante de Dios – su misericordia. Creemos que Dios es la expresión suprema del amor que prefiere perdonar antes que castigar.

Sí, los episcopales tomamos el pecado seriamente.

Pero al mismo tiempo también tomamos el perdón seriamente.

Nuestro Libro de Oración Común recomienda que confesemos nuestros pecados dos veces al día. Nuestro Libro de Oración Común recomienda que recibamos el perdón de Dios aún más frecuentemente.

Este perdón está al alcance de todos los que lo pidan. Es el centro de las Buenas Nuevas: Cuando Jesús dice 'bienvenido', lo dice realmente en serio.

5. ACEPTANDO

"Es de hecho la poesía de la fe y no los diferentes dogmas,
lo que nos persuade a los episcopales.
La elegancia de una doctrina... la música de un nombre santo...
El grito de un águila al recitar un salmo...
Estas cosas nos enseñan, aunque la mayoría de ellas no pueden ser enseñadas."

Phyllis Tickle

Aceptando

Recuerdo la primera vez que visité el edificio gótico más grande en Los Estados Unidos.

Entré – y miré para arriba – y para arriba – y para arriba.

Me encontraba en la Catedral Episcopal de San Juan el Teólogo en la ciudad de Nueva York.

Un voluntario me entregó un programa; sin embargo, debió haberme entregado un refuerzo para mi cuello.

Lo asombroso y lo imponente del lugar me puso en transe y pasé toda la tarde con mi cuello estirado, dando vueltas sin rumbo fijo, deambulando entre paredes de arenisca, gradas de mármol y niños asombrados.

CATHEDRAL OF ST. JOHN THE DIVINE

San Juan el Teólogo
En la ciudad de Nueva York (arriba) se encuentra el edificio gótico más grande en Los Estados Unidos. Un vitral de la Catedral que se ha adjuntado muestra a alguien viendo televisión.
CATEDRAL DE SAN JUAN EL TEOLOGO

Como en el caso de otras catedrales que he visitado, las líneas extendidas de la bóveda de abanico y la luz del sol resplandeciendo abundantemente a través del claristorio crearon un impresionante sentido de majestuosidad. Mientras pasaba la tarde (y mi cuello se entumecía, aunque dejé de toparme con otras personas), empezaron a surgir detalles sutiles en las ventanas, el techo, los pilares, las esculturas, las capillas y por supuesto la luz. No solamente sabía que Dios estaba allí pero gradualmente empecé a sentir que Dios no estaba allí solamente para mí, este colosal lugar podía albergar a muchísimas personas.

Había lugar para todos.

Y sentí una sensación abrumadora de aceptación – sentí que los brazos de Dios estaban completamente abiertos. Y esto era aún más aparente en las historias relatadas por los vitrales.

Cuenta con cientos de ventanas representando una variedad impresionante de personas, lugares y cosas. Así como esculturas sagradas de los ya conocidos San Pedro, San Agustín y Tomás de Aquino. Pero también encontramos a Martin Luther King, Hijo, Albert Einstein y Gandhi.

Se puede sentir la aceptación de Dios en las capillas también.

Muchas de ellas están dedicadas a grupos étnicos de los trabajadores que construyeron el lugar (el cual todavía no está terminado). Otras capillas están dedicadas a cosas importantes que afectan a diario las vidas de las personas, como los deportes, la poesía y el SIDA. En el altar, no solamente encontrarán una cruz, sino también puede ser que encuentren un Menorah (candelabro o lámpara de aceite de siete brazos) o una vasija Shinto.

Una visitante judía, en una ocasión dijo, "Todas las religiones rechazan, rechazan, rechazan, excluyen, excluyen, excluyen, pero yo vengo a tu Catedral y ¿qué es lo que me encuentro? En estatuas y en vitrales, encuentro al obrero y al administrador el uno al lado del otro. Encuentro el atletismo y la siquiatría el uno al lado de la otra."[1]

Y Dios se encuentra en el medio de todo esto.

Uno de los aspectos más escandalosos del ministerio de Jesús es que continuamente se encontraba rodeado de personas que otros rechazaban. Las personas religiosas se burlaban de Jesús porque cenaba con prostitutas y recaudadores de impuestos. Se burlaban de él porque convertía a simples pescadores en teólogos. Y simplemente no podían entender como un rabino con dignidad pudiera permitir que tantas mujeres le rodearan. Jesús se aseguró que fuera bien claro, que su trabajo no era impresionar a la gente poderosa. Su trabajo era ser amigo de aquellos que no tenían amigos.

Su trabajo no era el rechazar sino aceptar. Se puede encontrar una representación tangible de esta increíble declaración en las miles de piezas de vitrales de todo tamaño y color del arcoíris, colocados dentro de un extenso número de capillas, albergadas dentro de uno de los lugares más grandes que las manos humanas pueden construir.

La Catedral de San Juan el Teólogo es un gran testamento a algo que es aún más grande:

En la Casa de Dios, hay un lugar para todos.

Vía Media

Esta noción radical de inclusión que siempre me llama la atención en la Catedral de San Juan es algo que nosotros los Episcopales heredamos desde hace mucho tiempo.

Es una historia larga con una cantidad diversa de personajes pintorescos y un sinnúmero de conspiraciones. De hecho, las películas que se han hecho al respecto han ganado los premios Oscar.

Como sabrán, la Iglesia Episcopal es un descendiente directo de la Iglesia de Inglaterra.

Fue formada al principio del año 1500 después de que el Rey Enrique VIII y el Parlamento declararon que no querían que el Papa gobernara o quitara el dinero de las iglesias en Inglaterra. La iglesia recién formada de Inglaterra no cambió su forma de adoración o teología. Enrique no buscaba crear una nueva institución o terminar la relación con Roma. Simplemente quería ejercer más control.

Sin embargo, a medida que los protestantes en el continente europeo ganaban control, la iglesia en Inglaterra cayó bajo una presión cada vez mayor para cambiar sus creencias.

Cuando Enrique VIII falleció, su hijo pequeño, Eduardo VI, puso a la iglesia en una dirección protestante. Unos años después debido a su muerte prematura (neumonía) su hermana María Tudor tomó el trono. Ella era una devota católica romana y empezó a dirigir la iglesia de regreso a Roma.

Durante los reinados breves tanto de Eduardo como de María, cientos de personas fueron asesinadas en el nombre de la religión.

Los protestantes mataban a los católicos. Los católicos mataban a los protestantes. Y así fue como se le dio el apodo a María de 'María la Sangrienta'.

Cuando ella falleció (de cáncer en el estómago) le dejó el trono a su hermana Isabel.

Y fue Isabel I, más que nadie quien dio a nuestra fe su forma distintiva, especialmente su inclinación hacia la tolerancia y la aceptación.

Elizabeth I

Conocida como la Reina Virgen, Isabel probablemente influyó más en la estructura de la fe anglicana (y, por lo tanto, en la Iglesia Episcopal) que cualquier otra persona, incluyendo a su padre, el Rey Enrique VIII. Las películas de Isabel I e Isabel: La Era de Oro con Cate Blanchett son altamente

Cuando Isabel tomó el trono, Inglaterra se encontraba en caos. Reinaban los disturbios religiosos, el miedo y la confusión. Consciente de que se encontraba con protestantes y católicos en guerra, sabía que tenía que encontrar una solución, un punto medio. Isabel quería que todos los cristianos ingleses se sintieran bienvenidos en su iglesia. Su solución no fue una Iglesia de Ginebra (Protestante) o una Iglesia de Roma (Católica) – sino algo único, algo más que solamente el nombre – la Iglesia de Inglaterra.

Isabel se aseguró que muchas de las tradiciones y prácticas de la fe católica romana permanecieran a excepción del Papa. También simpatizó con los protestantes, asegurándose que hubiese Biblias disponibles en inglés en las parroquias. Y aunque ella prefería un clero célibe, permitió que los sacerdotes y obispos se pudiesen casar, algo que por cierto había sido ampliamente aceptado en los primeros mil años del cristianismo.

Y aunque Isabel hizo que la membrecía en la iglesia fuera obligatoria, también proporcionó bastante margen de libertad a la conciencia individual. Es muy famosa por lo que le dijo al Parlamento, "La Iglesia no deberá construir ventanas a las almas de los hombres."

Isabel estuvo en el trono durante 45 años. Trajo estabilidad a Inglaterra. Y durante ese proceso hizo de la Iglesia de Inglaterra un lugar donde cristianos con diferentes puntos de vista pudiesen encontrar un hogar.

Esta Vía Media (en latín "camino del medio") es todavía una característica determinante de mi Iglesia.

Y aunque algunas personas nos llamen indecisos y tibios, nuestra inclusividad y aceptación es algo que realmente valoramos. La mayoría de nosotros vemos la negociación y el llegar a un punto medio como una manera de practicar la caridad cristiana. También lo vemos como una parte vital para el trabajo de fomentar el Evangelio.

La mayoría de nosotros hemos aprendido que la verdad, rara vez se encuentra en los extremos, usualmente la encontramos en alguna parte del medio.

Tutu

Algunas veces empezar el trabajo temprano trae recompensas.

Esto raramente me pasa a mí, pero es exactamente lo que pasó una mañana inolvidable de agosto cuando una colega tocó a mi puerta.

Tenía en sus manos una caja negra que usualmente usamos para llevar la comunión para el camino, normalmente para personas enfermas y prisioneros. Me preguntó si podía ir con ella. Yo le dije, por supuesto. Y me preguntaba a mí mismo, quién estaría enfermo o a quién habrían metido en la cárcel durante la noche.

Ella me dijo, vamos a ir a celebrar la comunión con el Arzobispo Desmond Tutu de Sudáfrica.

Y me aseguró que él no se encontraba enfermo o en la cárcel.

Tutu es el laureado Premio Nobel de la Paz 1984. Se encontraba en la ciudad debido a una conferencia y durante los siguientes cuatro días mi colega y yo tuvimos la experiencia mágica de comenzar cada mañana con él. Allí, en esa habitación humilde del hotel, nos reuníamos cada mañana alrededor de una pequeña mesa de comedor y celebrábamos una Eucaristía simple. Y aquí vimos de cerca las prácticas espirituales de un cristiano respetado y un hacedor de paz de primera clase.

El Arzobispo Tutu es efervescente, energético, inteligente, y muy divertido (autografió un libro para mi papá y escribió, "Querido Padre – cuenta usted con buenos genes"). Pero lo que es aún más memorable es su devoción humilde por la vida cristiana. Durante nuestra liturgia oró insistentemente por las personas que sufren por la guerra, el hambre y las enfermedades. Habló apasionadamente acerca de la responsabilidad cristiana de traer justicia y compasión al mundo, algo de lo que él sabe mucho pues ha pasado la mayor parte de su vida en el frente de la lucha por la justicia.

Si piensan en todas las revoluciones que el mundo ha presenciado en los últimos años del siglo XX (la caída de la Muralla de Berlín, la apertura de los países del bloque europeo), fue de hecho, el final del apartheid (política de segregación racial) en Sudáfrica una de las más dramáticas.

Muchos años de violencia y agitación fueron el preludio de los eventos que finalmente permitirían que la mayoría de la población negra pudiese compartir el poder con el gobierno blanco. Tutu se encontraba justo en el medio de la acción como un vocero tanto nacional como internacional y como un líder espiritual. Se ganó el premio Nobel de la Paz por este papel y también creó un nuevo modelo de liderazgo cristiano.

Después del cambio de gobierno se hizo evidente que las graves violaciones cometidas a los derechos humanos durante estos años eran simplemente demasiado atroces como para dejarlas pasar por alto. Masacres, violaciones, robo y toda clase de maldad infestaron el país entre los años de 1960 y 1994.

Persistieron las heridas profundas.

La venganza reinaba.

Y la paz se encontraba colgando de un hilo.

En 1995, cuando el apartheid había terminado, el gobierno de Sudáfrica aprobó un proyecto de ley que creó la Comisión de la Verdad y la Reconciliación. Y Tutu era su firme defensor. La meta era el sanar a un país que se encontraba quebrantado y que de otro modo quizás no hubiese sobrevivido. Se recibieron miles de solicitudes de audiencia hechas por víctimas de injusticias. La Comisión mantuvo reuniones públicas a través del país para escuchar tanto a las víctimas como a los violadores y ayudarles a hacer las paces. Las sesiones fueron mucho más baratas que el haber llevado a juicio a cada uno de los sospechosos – y muchos de los crímenes no contaban con testigos que estuviesen vivos.

El Presidente de Sudáfrica, Nelson Mandela, escogió al Arzobispo Tutu para dirigir la Comisión. Y Tutu sabía que debían encontrar una vía media.

"Muy a menudo se escuchaba a las personas en Sudáfrica decir, 'que los días pasados sean días pasados.' Y ustedes dicen, desafortunadamente, éstos no se convierten en días pasados así nomás por decreto arbitrario, ustedes los declaran así..."

La solución significaba amnistía para los que confesaran y una oportunidad para estos violadores de enfrentar a sus víctimas, "Necesitamos hacer todo lo posible para ayudar a nuestros niños a reanudar su historia, y a reanudar sus recuerdos."[2]

Las historias sobre hacedores de paz que salieron de estas audiencias llenan de lágrimas mis ojos (de hecho, no soy el único, se le dio como apodo, 'la Comisión Kleenex"). Asesinos se daban la mano con las familias de sus víctimas. Mujeres que fueron violadas hicieron la paz con sus agresores. Víctimas de robo daban abrazos a los ladrones que habían saqueado sus casas.

Gracias al trabajo del Arzobispo, miles de niños ahora cuentan con diferentes recuerdos de esta transición violenta. La esperanza y la confianza han resucitado.

No es suficiente con querer la paz.

Hay que trabajar para conseguirla.

Hay que encontrar una vía media.

Esto es algo que el Arzobispo Tutu todavía está tratando de hacer. Tiene sus manos en toda clase de proyectos. Uno de ellos es con mi iglesia. El Centro de Educación Desmond Tutu en el Seminario General en Nueva York es un inicio. Es un lugar donde las personas comparten ideas sobre cómo crear la paz y encontrar vías medias. Sirve a seminaristas y visitantes de todo el mundo ofreciendo clases, oradores invitados, lugares para reunirse, libros y otra literatura. La idea es que las personas entablen conversaciones sobre la paz.

Esta es una gran idea.

Piensen en todos los recursos que gastamos cuando estamos en guerra.

Piensen en las armas, los tanques, los MRE (comida empacada lista para comer), aviones del ataque, barcos de batallas y Kevlar, material de cual se fabrican cascos, chalecos de protección... y también en las pérdidas humanas.

Y entonces piensen en cuánto gastamos para mantener la paz.

¿Cuán comprometidos estamos para encontrar formas de evitar la confrontación?

¿Cuánto realmente nos importa el encontrar formas creativas para superar nuestras diferencias? ¿Cuán serio tomamos la vida y las enseñanzas de Jesús, que se basan en la paz y en la reconciliación? ¿Qué tan duro estamos trabajando para encontrar una vía media?

El mundo se está haciendo más chico.

La guerra se está haciendo cada vez más fácil.

Los argumentos que antes terminaban sin ganador o perdedor ahora están escalando en actos

Encontrando una Vía Media

BEYER BLINDER BELLE, LLP

El Centro de Educación Desmond Tutu en el Seminario General en la Ciudad de Nueva York se dedica a encontrar nuevas formas para alcanzar la paz. Alberga programas como el Centro por la Paz y la Reconciliación y el Centro de Estudios y Relaciones Judeo-Cristianas. Tutu es miembro de la Iglesia Anglicana de Sudáfrica, una iglesia hermana de la Iglesia aterradores de violencia. Las personas que antes ofendían con insultos y arrojaban piedras ahora son secuestradores y bombarderos suicidas.

Debemos encontrar maneras de crear puentes entre nuestras diferencias sin llegar a la pelea.

Debemos encontrar maneras para solucionar nuestros problemas sin matarnos los unos a los otros. Debemos encontrar maneras de mantener la paz. La violencia ya no únicamente amenaza a países inestables en lugares lejanos. Todos sabemos que nos encontramos en riesgo.

Y como nunca antes, es cuestión de vida o muerte.

Doy gracias por cada persona en la faz del planeta que está tratando de encontrar una vía media. Le doy gracias a Dios por las personas que diariamente aceptan sufrir humillaciones y no devuelven la agresión. Aplaudo a todas las personas que han hecho de sus vidas la misión de disipar la agresión y dar la otra mejilla. Esta es la clase de obra que Dios quiere que hagamos. Dios quiere que seamos hacedores de paz.

Y desesperadamente necesitamos de iglesias que nos inspiren a hacer esto.

Necesitamos iglesias que nunca dejarán de decirnos que nuestras opciones no son solamente el no querer adoptar una postura de dialogo y el inicio de rápidas represalias.

Danforth

Uno debe preguntarse cómo es que John Danforth logró sobrevivir a las fiestas de cocteles.

¿Cómo se puede lograr evitar hablar de religión y política cuando se es un sacerdote episcopal y un senador de Los Estados Unidos?

Y puede ser porque él ha tenido práctica.

Desde la Universidad, Danforth ha logrado equilibrar dos vocaciones muy distintas. Cuando él estaba completando su posgrado, también asistía a la escuela de leyes y a la escuela de teología. Durante sus tres términos en el Senado, su trabajo en el África y en las Naciones Unidas, Danforth logró servir también en una parroquia en el D.C.

Los dos llamados le convencieron de una cosa – del papel absolutamente esencial que juega la reconciliación para lograr alcanzar cosas con valor duradero.

Danforth dice, "Yo creo que el mensaje central de la Iglesia Episcopal y de todos los cristianos es y debe de ser que Dios estaba reconciliando al mundo consigo mismo por medio de Cristo y que nos ha confiado a nosotros el ministerio de la reconciliación."[3] La visión de Danforth para el Cristianismo es el que nos involucremos más en fomentar que las personas se lleven bien unas con otras. Existen muchas maneras de lograr la reconciliación en el mundo que simplemente están esperando a ser puestas en marcha. Toda clase de oportunidades para lograr la reconciliación están simplemente esperando a que las ***iglesias*** quieran ponerlas en marcha.

La Reconciliación

Autor del libro: Faith and Politics: How the Moral Values Debate Divides America and How to Move Forward Together. (Fe y Política: Cómo el Debate sobre los Valores Morales Divide a América y Cómo Seguir Adelante Juntos).

No hace mucho tiempo, el secretario general de las Naciones Unidas escribió un reporte a la Asamblea General sobre el terrorismo. Este recomendaba un diálogo altamente visible y constructivo entre miembros de diferentes religiones. Danforth dice que es en esto donde las iglesias deben involucrarse – justo en el medio de la lucha por ayudar al mundo a conseguir la paz. "Podríamos ayudar a formar un servicio de mediación interreligiosa que pudiera tratar cuestiones muy prácticas de los elementos religiosos en conflicto, como la aplicación de la ley musulmana en Jartún; cosas de este tipo. Realmente podríamos hacerlo."

Voces cruciales como la de Danforth y otros como él, que constantemente nos recuerdan sobre nuestros papeles como reconciliadores y hacedores de paz son fundamentales en la actualidad.

Jesús no nos llama únicamente a buscar la paz en nuestras familias. Jesús nos llama a fomentar la paz en nuestra comunidad, en nuestra nación y en el mundo entero.

Pienso que es a eso a lo que se refería Jesús cuando él nos llamó, 'una luz en el mundo.'

El Libro del Apocalipsis lo pone de esta manera.

Presenta una pintura del cielo como la 'Nueva Jerusalén.' Una ciudad.

No es un campo vacío. No es una comunidad privada con garita de entrada. Es de hecho un mercado abierto.

Es un lugar donde todos viven juntos en un mismo lugar – en paz. Es un lugar donde las discusiones, las peleas de puños y donde las guerras mundiales han terminado. Es un lugar donde finalmente todos nos llevamos bien.

¿Cómo nos podemos preparar para vivir en un lugar como éste? ¿Cómo ayudamos a nuestro prójimo, a nuestro país y a nuestro mundo para vivir en un lugar como éste? ¿Y cómo logramos hacer de ese lugar, nuestro lugar?

Yo estoy convencido de que el camino arduo hacia el cielo es de hecho un camino en el medio.

Este siempre ha sido un mensaje distintivo de mi iglesia.

Siempre nos hemos visto como una vía media – como el camino del medio. Siempre nos hemos visto como un lugar donde personas de diferentes lugares con diferentes puntos de vista pueden reunirse alrededor de un altar.

Alrededor del Altar de Cristo siempre hay un lugar para todos.

6. DANDO GRACIAS

No nos reunimos alrededor de la Mesa de la Comunión para escapar de los problemas del mundo sino para escapar de las respuestas del mundo.

Obispo Arthur Vogel

Dando Gracias

Cada noche a las 7:30 un grupo de aproximadamente veinte hombres caminan hacia el sótano de nuestro refugio local para personas sin hogar y buscan un lugar en el puñado de bancas lúgubres que han sido acondicionadas en la capilla.

Llegó el momento del servicio de la noche.

La mayoría de ellos están cansados, demacrados y hambrientos – y no solamente hambrientos de comida. La mayoría de ellos se encuentran buscando dirección, perdón, esperanza y amor. Y algunos pocos están buscando encontrar otra botella, una dosis de droga o un lugar callado en donde puedan pasar la noche.

Pero por una variedad de razones, este es el lugar a donde vienen.

Dan, Linda y yo somos algunos de los ministros que regularmente celebramos los servicios aquí. Para la mayoría de ellos, esta es la primera vez en que conocen a un episcopal. Los refugios para las personas sin hogar son una especie de religión de las Naciones Unidas y los episcopales pertenecen a un país pequeño.

Así que muy contentos les explicamos la manera en que practicamos la cristiandad. Una de las primeras cosas que les preguntamos es, "¿Cuántos de ustedes han ido alguna vez a pasar el Día de Acción de Gracias a la casa de su abuela?" Y todos levantan la mano. "¿Cómo se ve la mesa de la cena? ¿Hay platos desechables en la mesa? ¿Tenedores de plástico? ¿Acaso usan una playera sucia y pantalones cortos para la cena? ¿Llega alguien tarde con una bolsa de hamburguesas frías y les dice a todos 'sírvanse?'"

Claro que no.

Todos empiezan a contarme sobre las tradiciones especiales de sus familias, de dónde vinieron los platos de porcelana de la abuela, quien se encarga de partir el pavo, y la razón por la que ese mantel de encaje solo se utiliza una vez al año.

Mientras tanto, Dan de manera meticulosa prepara la Mesa de la Comunión.

Linda escoge los himnos.

Y todos hablamos sobre los elementos de reverencia, ceremonia y oración. Lo cual rompe el hielo para la práctica de la tradición sagrada y antigua que estamos a punto de realizar. Es un ritual sagrado que nos ayudará a ver a Jesús de una manera auténtica y maravillosa. Nos ayudará a hacer lo que todos aquí somos llamados a hacer.

Hemos venido a dar gracias.

La Biblia nos dice que en la noche antes de que Jesús muriera, Jesús tomó el pan y el vino. Le dio gracias a Dios. Lo bendijo, lo partió y lo repartió a sus discípulos. Y desde esta "última cena," la Iglesia de Dios ha hecho todo lo posible por imitar este acto tan sublime. A través de los años y entre los diferentes grupos de iglesias, la ceremonia ha tomado diferentes formas a medida que personas de fe responden al llamado de la adoración. Mi iglesia también tiene su propia versión. Y ciertamente no es la única. Puede que no sea la mejor. Pero ha funcionado para millones de nosotros durante un largo período de tiempo.

A los episcopales nos gusta pensar que cada domingo es un Día de Acción de Gracias.

Como lo he mencionado anteriormente, la palabra Eucaristía es una palabra griega antigua que significa "acción de gracias" (es casi la misma palabra que se usa en Grecia ahora cuando las personas dicen 'gracias').

Cuando nos reunimos los domingos queremos dar gracias de una buena manera.

Muchos de nosotros (especialmente el clero) nos esmeramos en la forma en que nos vestimos para el rito. Tratamos de contratar a los mejores músicos y predicadores. De manera cuidadosa, decoramos nuestra iglesia y preparamos la mesa de la Comunión. A menudo marchamos alrededor en procesiones formales cuando entramos y salimos de la iglesia. Todos estamos conscientes de que nuestro huésped de honor es Jesucristo, quien dijo, "Porque donde dos o tres se reúnen en mi nombre, allí estoy yo en medio de ellos." (San Mateo 18:20).

Es una noción abrumadora el suponer que el Creador del Universo, Rey de Reyes y Señor de Señores – el dueño de todos los rebaños en los collados, realmente nos encuentra durante la Eucaristía.

Y es por eso que nos esforzamos tanto.

Es por eso que invertimos tanto esfuerzo y energía en nuestros pensamientos y palabras. Nosotros creemos que la adoración los domingos es nuestra respuesta colectiva más profunda hacia la gracia de Cristo y su presencia entre nosotros.

La mayoría de los episcopales creemos que nuestros servicios de adoración deben reflejar reverencia en belleza y ritual para expresar de la mejor manera posible nuestra gratitud a Dios. Los cristianos entendemos que la adoración es la honra a Dios por medio de Jesucristo.

En la Iglesia, este "trabajo" de adoración es llamado liturgia, la cual se deriva de otra palabra griega que literalmente significa 'el trabajo del pueblo.'

Cada Iglesia tiene una liturgia, no importando lo informal que la misma pueda ser – si las personas se reúnen para adorar, entonces es una liturgia. Es 'el trabajo del pueblo.'

Como en el caso de otros cristianos, los episcopales tenemos una forma peculiar de organizar el cómo, el cuándo, el por qué y el dónde de la adoración. Como otros cristianos, nuestra tradición ha sido transmitida a lo largo de los siglos, de una manera refinada, moldeada y perfeccionada de maneras distintivas que hemos aprendido a atesorar.

Los episcopales vemos nuestro llamado a adorar enraizado en las palabras de Jesús cuando dijo, "Ama al Señor tu Dios con todo tu corazón, con toda tu alma y con toda tu mente. Este es el más importante y el primero de los mandamientos." (San Mateo 22:37)

Cuando nos reunimos los domingos, estamos respondiendo a este llamado. Estamos reconociendo el amor que se nos fue dado y ofreciendo nuestro amor a cambio.

La mayoría de los episcopales actuamos desde esta convicción fundamental y bíblica que la meta principal de la Iglesia es adorar a Dios – para dar gracias.

Más que un Sentimiento

Un domingo en la mañana, después de la misa, un obispo al que conozco estaba parado en la puerta trasera de la iglesia saludando a los congregantes mientras se iban.

Un joven se detuvo para darle la mano.

Le dijo, "Obispo, realmente no me gustó ese último himno."

El obispo audazmente se sonrió y le dijo, "Esta bien, de todos modos no lo cantamos para ti." Una de las tendencias más significativas que estamos observando hoy en día es el creciente sentido de narcisismo tanto cultural como personal. Muchos de nosotros lo vemos en la iglesia. De manera sutil pero creciente, muchas personas ya no vienen a la iglesia para dar, sino para recibir. En los círculos cristianos, he escuchado a muchas personas hablar sobre sí fueron o no "alimentados" en la iglesia. Este es un comentario inofensivo en sí, pero revela un egocentrismo que parece perder el sentido del porque vamos a la iglesia. Como el obispo lo explicaría, no nos reunimos los domingos principalmente para darnos gusto a nosotros mismos, sino para adorar a Dios.

Esto no significa que debemos escoger nuestras iglesias solamente porque aquellas a las que asistimos nos parecen aburridas (puede que descubramos una deprimente cantidad de ellas). Sin embargo, esto nos ayuda para demostrar que todos tenemos una tendencia para dejar que nuestro propio individualismo afecte de manera negativa nuestra decisión con respecto a qué iglesia vamos.

Me preocupa que no muchos de nosotros nos demos cuenta de esto.

Wade Clark Roof ha realizado una investigación bastante significativa con respecto al por qué las personas nacidas después de la segunda guerra mundial en particular, tienden a comportarse de esta manera. Muchas de estas personas que se fueron de la iglesia cuando eran particularmente jóvenes, están regresando ahora a la iglesia. Pero Roof dice que están utilizando un criterio culturalmente influenciado, basado en "preferencias y necesidades" personales para elegir su propia comunidad de adoración.[1] Un sentido individualizado de 'sentimientos' está remplazando la estructura antigua de índole mas comunitaria mantenida por generaciones pasadas. Esto pone gran presión en las iglesias para cambiar lo que hacen, no por convicción teológica sino porque esa es la manera en que se puede atraer a más personas.

Casi cada una de las iglesias que yo conozco se encuentra bajo esta clase de presión.

Como otras comunidades cristianas, la mayoría de los episcopales han vacilado en cambiar sus formas de adoración basados únicamente en las últimas tendencias. No es simplemente porque seamos sentimentales, sino porque somos precavidos. Como un teólogo luterano una vez lo advirtió con la siguiente ilustración, "el cambiar toda la mercadería de una tienda, solamente para satisfacer las ideas del mercado del momento de aquellos que no pertenecen a la iglesia y que saben poco sobre la fe, es dejar que la fe y su expresión se determinen únicamente por estas personas."[2]

Como predicador, uno de los cumplidos más grandes que puedo recibir, no es un "me hizo llorar,' o 'me siento tan inspirado ahora,' sino 'usted sí que me hizo pensar.' Espero que un sermón de a las personas algo para pensar durante toda la semana, algo que simplemente no pueden terminar de comprender al final del servicio.

La mayoría de episcopales creemos que los sermones necesitan ser más que discursos motivacionales, porras y psicología popular. Por supuesto, los sermones deben apelar a nuestros corazones, pero también deben ser un serio esfuerzo por apelar a nuestras mentes.

Cuando escogemos la música para nuestros servicios, realmente nos importa lo que las personas sienten cuando cantan. Queremos que nuestra música sea edificadora e inspiradora. Sin embargo, tratamos de evitar el llenarla con lírica que pueda llevarnos a pensar que nuestro canto es para nuestro propio deleite y satisfacción.

Porque no lo es. Se trata únicamente de Dios.

Los episcopales nos inclinarnos más por la música que expresa una belleza más formal, elocuencia e imaginación tanto en su texto como en su melodía. No nos gusta pensar que nos gustan nuestros himnos únicamente por un sentido banal de romanticismo. En cambio, atesoramos nuestra música porque la mayoría de ella la hemos probado (muchas veces, y hasta por siglos) y la hemos encontrado apropiada tanto teológica como musicalmente para adorar al Dios Santo, quien es el centro de nuestra adoración.

Bach, Handel, Wesley y Watts han compuesto alguna de la música más increíble que el mundo haya escuchado. Esto no significa que los episcopales solo cantamos canciones viejas. Hay muchos músicos contemporáneos que han hecho contribuciones significativas a la iglesia.

Pero la razón por la que nos atrae este repertorio particular es debido a que en un sentido muy profundo, habla de nuestro deseo por ofrecer lo mejor – de dar lo mejor de cada uno – a la gloria de Dios.

Queremos dar las gracias bien.

No quiero con esto juzgar a otras prácticas de adoración o afirmar que la forma en que nosotros hacemos las cosas es la única forma correcta. Sino que busco señalar que los episcopales dedicamos mucho esfuerzo y tiempo a cada aspecto de nuestra adoración.

La mayoría de los episcopales nos esforzamos por alcanzar la excelencia cuando adoramos a Dios porque refleja algo muy importante sobre la forma en que nosotros le vemos y respondemos. Cuando [la tradición episcopal] está en su mejor momento, su liturgia, su poesía, su música y su vida pueden crear un mundo de maravillas en el que es muy sencillo enamorarse de Dios."[3]

Los Episcopales y el Arte

Tradicionalmente, los episcopales hemos apoyado las artes de manera entusiasta. Muchas parroquias son anfitriones de galerías de arte, conciertos y aceptan la danza litúrgica`.

Como muchas iglesias también entendemos que el arte más grande que se ha creado se ha hecho en celebración de lo espiritual. Esta es una tradición que creemos nos hace mejores cristianos. El investigador científico, Robert Wuthnow ha encontrado que, "las personas con mayor exposición al arte suelen comprometerse de manera más seria a su crecimiento espiritual, comparado con aquellas que han tenido menor exposición al arte."[3] Los Episcopales y el Arte

El Ámbito

Y dado a estas convicciones no es difícil imaginarse la razón por la que la arquitectura y el mobiliario de nuestros edificios se ven de la manera que son.

Fíjense en la forma básica de muchas de nuestras iglesias. Tienen forma de cruz. Muchas de ellas están diseñadas para que la congregación este de frente al este. Esto refleja una creencia tradicional de que Cristo regresará desde esa dirección. Queremos tener presente que Cristo vendrá de nuevo.

Dentro de la iglesia, el altar es usualmente lo primero que capta nuestra vista. Y aunque algunas iglesias cuentan con púlpitos y pilas bautismales enormes, es de hecho el altar el que toma el centro de atención. Para muchos de nosotros esto nos dice que la Eucaristía está al centro de lo que nos une.

Muchas de nuestras iglesias se ven adornadas con obras de arte especialmente con vitrales. Sus orígenes se remontan a un tiempo en el que el analfabetismo era común y la historia cristiana era más fácil contarla con dibujos (también nos han servido como alternativas convenientes para distraernos de sermones aburridos, aunque esto nunca ha sucedido en mi iglesia...) Otros accesorios comunes incluyen las Estaciones de la Cruz (pinturas o placas que relatan los eventos de las últimas horas de Jesús) y banderas de colores que nos recuerdan de las estaciones cristianas.

Como en el que caso de muchas tradiciones de fe, a los episcopales nos gusta nombrar a nuestras iglesias usando

nombres de cristianos que han vivido vidas ejemplares – es decir santos. San Juan es el santo más usado en los nombres de las Iglesias Episcopales. También utilizamos eventos o estaciones como nombres para nuestras iglesias, como en el caso de La Epifanía, El Adviento, La Transfiguración. El nombre más comúnmente usado en las Iglesias Episcopales es Iglesia de Cristo. Nosotros creemos que el ambiente de la adoración así como el nombre de la iglesia tiene una gran influencia en la formación de nuestras comunidades y de nuestras almas.

La mayoría de nosotros escogemos lugares de adoración que se ven y se escuchan santos porque en lo muy profundo de nuestros corazones nosotros queremos ser santos. La palabra santo simplemente significa apartado. Los cristianos somos llamados a ser apartados para los

Una gran tendencia en la arquitectura de la iglesia de la actualidad es la propósitos de Dios. No los propósitos del mundo. la iglesia de la actualidad son los propósitos minimización de los aspectos tradicionales de los espacios de adoración, favoreciendo un diseño más homogéneo y sobrio. Los episcopales normalmente somos reacios a seguir esta tendencia. Solemos valorar nuestra arquitectura tradicional no solamente porque valoramos la tradición, sino también porque reconocemos el impacto de la estética en nuestras almas. Como lo dijo Winston Churchill, los humanos moldeamos los edificios y luego los edificios nos moldean a nosotros. Ciertamente, somos hijos de nuestro entorno.

Descifrando el Codigo de los Colores.

En el principio, los critianos designaron ciertos colores para marcar las estaciones.

Nos recuerdan de la vida y la obrade Cristo.

Adviento (4 semanas antes de Navidad)

Morado/Azul Preparación/Expectativa

Navidad

Blanco Celebración/Encarnación

Epifanía (el 6 de enero)

Verde Revelación

Cuaresma (invierno)

Morado Penitencia/Auto Reflexión

Semana Santa (primavera)

Rojo Sangre Conmemoración/ Sacrificio

P**ascua** (primavera)

Blanco Celebración/Victoria

Pentecostés (al principio del verano)

Rojo La venida del Espíritu Santo, el don ofrecido a todos

Estación después de Pentecostés (verano)

Verde El Espíritu nos guía/nos enseña. Crecimiento

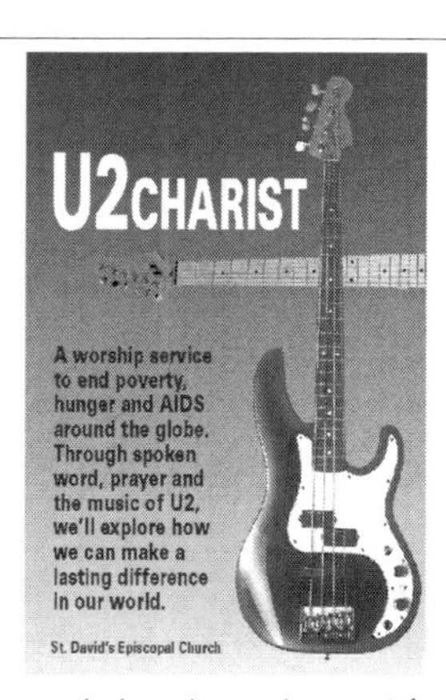

Un servicio de adoración para erradicar la pobreza, el hambre y el SIDA alrededor del mundo. A través de oratoria, oración y la música de U2, exploráremos cómo podemos lograr una diferencia duradera en nuestro mundo. Iglesia Episcopal de San David. La adoración episcopal no está limitada a ciertos géneros musicales. Podemos encontrar en algunas iglesias nuevas formas de adoración como Misas acompañadas con Jazz, Taizé, Música Celta y la U2CARISTIA. Las mismas nos ayudan a fomentar la comunidad de manera auténtica y creativa.

La Eucaristía

No hace mucho tiempo, un grupo de sociólogos publicó un estudio fascinante sobre la soledad. Los investigadores entrevistaron a cientos de personas y reportaron que un cuarto de todos los estadounidenses dicen que no tienen a nadie con quien hablar sobre "asuntos importantes." Otro cuarto de estadounidenses dijo que solo tenían una persona con quien hablar. Sin embargo, lo que fue aún más desconcertante fue que un estudio idéntico a este había sido realizado dos décadas antes.

Y los investigadores encontraron que en solo veinte años, el número de personas que no tenían a nadie en quien confiar se había duplicado.4

Debido a muchas razones, no estamos logrando conectarnos los unos con los otros como solíamos hacerlo. No estamos extendiendo nuestro círculo de amistades cercanas. De hecho estamos disminuyéndolos. No sólo estamos fallando en mantener nuestras relaciones, también estamos fallando en buscar y establecer amistades con personas que no conocemos.

Necesitamos comunión.

Es una necesidad espiritual y física. Los investigadores dicen que el aislamiento social es un factor de riesgo grave para una muerte prematura tanto como lo es el fumar. El aislamiento es un problema social como lo son las tensiones raciales. Nos priva de puntos de vista distintos y aumenta la polarización de nuestras sociedades.

Y aunque los cristianos ciertamente no somos inmunes a esta tendencia, sí ofrecemos una solución. La Comunión – o como le decimos – la Eucaristía.

En ese acto pequeño del compartir una cena, Jesús le dio a la Iglesia un gran regalo.

A través del tiempo este simple acto ha servido como foco de atención tanto literal como simbólico para congregar a las personas, independientemente de sus ingresos económicos, raza, edad, ciudadanía, estado civil o preferencia sexual.

La Eucaristía es la gran promovedora de la igualdad.

En una era en la que el estandarte comunitario es casi inexistente, la Eucaristía nos proporciona un punto de enfoque sin precedentes.

La Eucaristía es algo más que la vida de Jesús. Se trata de nuestras vidas. El cuerpo de Jesús fue partido y su sangre derramada para que nuestras vidas fueran mejores. Somos los beneficiarios del sacrificio hecho por un desconocido.

Y no debemos simplemente tomar la Eucaristía. Se supone que nosotros seamos la Eucaristía. En esta comida hecha en comunidad nosotros también derramamos nuestro ser al mundo. Nosotros también vemos que desconocidos se convierten en beneficiarios de nuestros sacrificios. Nosotros también vemos que en nuestro humilde intento por imitar a Cristo, empezamos a sanar nuestro mundo quebrantado. Y lo hacemos con una persona a la vez. Con una relación a la vez. La Eucaristía nos trae en comunidad no por separado.

Esta es una de las grandes razones por las que los cristianos siempre han colocado un gran valor en su Santa Comunión. San Pablo, quien escribió los primeros libros del Nuevo Testamento, dijo que deberíamos compartir la Eucaristía todo el tiempo, "De manera que, hasta que venga el Señor, ustedes proclaman su muerte cada vez que comen de este pan y beben de esta copa." (1 Cor. 11:23-26)

Eso es lo que los primeros cristianos hicieron.

Ellos eran judíos y sus prácticas surgieron de lo que ellos ya conocían. Continuaron reuniéndose semanalmente pero cambiaron el día. Intencionalmente se reunían los domingos ya que éste era el día en que Jesús había resucitado en lugar del sábado, el cual era el día de reposo judío. Al principio partían el pan y ofrecían oraciones como era la tradición judía. Pero después de la resurrección de Cristo, comprendieron el significado de la última cena y crearon un nuevo rito (práctica) como lo había mandado Cristo. El nuevo rito tenía varios nombres, 'la Cena del Señor,' 'la partición del pan,' 'el festín de amor,' 'el memorial' y la Comunión. A medida que la Iglesia evolucionó, la teología y la ceremonia crecía aún más y más compleja. Para el siglo IV, las personas le llamaban el rito de la Eucaristía, 'el misterio' o 'el sacramento.'5\Una plegaría del siglo II refleja la unidad que todavía atesoramos como parte de esta santa comida, "Así como este pan partido se hizo uno del trigo esparcido en las montañas, que así también tu iglesia desde todos los confines de la tierra se congregue en tu reino."6

El Misterio

Y, ¿qué es lo que realmente sucede durante la Eucaristía? ¿Acaso el pan y el vino literalmente se convierten en el cuerpo y la sangre de Cristo? ¿O son símbolos de un misterio aún más grande?

A través de los años, los cristianos han explicado esto en millones de diferentes maneras. A los católicos romanos se les conoce por algo llamado la Transustanciación. Los luteranos han promovido la palabra Consubstanciación. Y los bautistas han adoptado el término Memorial, solo para mencionar algunos ejemplos.

Los episcopales, con nuestra tendencia de buscar una vía media, nos aferramos a algo llamado la Presencia Real. Esto significa que realmente creemos que Cristo está presente en la Eucaristía aunque deliberadamente evitamos tratar de explicarlo. Un teólogo explica, "La presencia de Cristo es objetiva y espiritualmente real, no una simple experiencia sicológica. Mejor dicho es una presencia sacramental,

es diferente de la forma en que los objetos físicos están presentes pero es sin embargo real.7

Esta creencia fue perfeccionada para nosotros durante los siglos XVI y XVII en el reinado de Isabel. Como ustedes recordarán, Isabel se enfrentó con una atmósfera religiosa inestable y estaba intentando lograr la paz entre los protestantes y los católicos en guerra. Uno de los asuntos más polémicos era el significado de la Eucaristía. En términos generales, los católicos tenían un punto de vista más literal de la presencia de Cristo mientras que los protestantes mantenían un punto de vista más simbólico. Después de haber escuchado argumentos de los dos lados, Isabel y sus pensadores religiosos decidieron llegar a un punto medio. Propusieron una vía media, dándole el crédito a Isabel con la autoría de este simple poema:

Cristo fue la Palabra que lo habló;

El tomó el pan y lo partió;

Lo que Dios haga de él,

Yo lo creo y lo acepto.

Cuando intentamos explicar la Eucaristía inmediatamente nos encontramos con que nuestros argumentos nos llevan en círculos. Y las persona no solo han discutido sobre este concepto. Han hasta asesinado por ello. Su opinión con respecto a este simple acto era un

Los Episcopales y los Sacramentos

Los episcopales reconocemos ciertos actos como 'sacramentos.' Esta palabra significa, "un signo externo y visible de una gracia interna y espiritual." Por ejemplo, El Bautismo es un Sacramento. El signo externo y visible es el agua y la gracia interna y espiritual es el perdón de los pecados.

Los episcopales reconocemos dos grandes sacramentos legados por Jesús; el Bautismo y la Santa Eucaristía.

Sin embargo, también reconocemos cinco sacramentos menores; el Matrimonio, la Reconciliación de un Penitente (también llamado 'Confesión'), la Ordenación, la Unción de los Enfermos y Moribundos (también llamado 'últimos ritos') y Confirmación (incluyendo el ser Recibido en la Iglesia y la Reafirmación del Pacto Bautismal).

asunto de vida o muerte.
Isabel lo sabía.
Hablar sobre la Eucaristía es como abordar un tren con destino al misterio. Nuestra única diferencia es la parada donde decidamos bajar. Así que en vez de estar enfocándonos en algo que nunca vamos a poder solucionar (y mucho menos llegar a un acuerdo), es mejor que nos concentremos en algo más productivo – como la forma en que la Eucaristía nos afecta a nosotros y a nuestra comunidad. Un teólogo dijo, "A los reformadores anglicanos... no les preocupaba tanto la transformación del pan y el vino en el altar como les preocupaba la transformación de las vidas de las personas cristianas."8 En lugar de debatir incesantemente en cómo exactamente Jesús llega a los elementos de la comunión, preguntémonos cómo Jesús viene a cada uno de nosotros.

¿Cómo nos cambia la Eucaristía?

¿Cómo nos moldea la Eucaristía?

¿Cómo nos ayuda la Eucaristía para cambiar al mundo?

Como la mayoría de cristianos, los episcopales nos acercamos a la Mesa de la Comunión con maravilla, reverencia y humildad, reconociendo que no lo hemos entendido todo. Nos acercamos con la promesa de Jesús de que él está presente allí, de una manera u otra, para encontrarnos, confortarnos, sanarnos, darnos certeza y salvarnos.

La Eucaristía es nuestra llamada semanal al altar.

Esta es la oportunidad más profunda para que cada uno de nosotros acepte a Jesús nuevamente en nuestros corazones, para ser transformados y 'renacer" en el sentido más verdadero de la palabra.

Los episcopales sabemos que no somos los únicos llamados a la mesa de Cristo. Y es por eso que abrimos nuestra mesa a todos.

El altar de Cristo no es únicamente nuestro.

Es de Dios.

Todos los cristianos bautizados, católicos, luteranos, bautistas, pentecostales, etc., sin importar su herencia cristiana, son bienvenidos a recibir el pan y el vino en las eucaristías episcopales.

Todos los demás también son bienvenidos a acercarse y recibir la bendición del ministro. Los episcopales vemos la mesa de la Comunión de esa manera – una mesa en la que todos los cristianos pueden participar.

Una unidad cristiana basada en Cristo.

Es por eso que la parte más importante de nuestras visitas mensuales al refugio para personas sin hogar es la Eucaristía. Reunidos alrededor de esa mesa vieja y destartalada. Representamos una franja amplia de la iglesia de Cristo y también mantenemos una amplia variedad de creencias.

Nos tomamos de las manos. Cerramos nuestros ojos. Y oramos el Padre Nuestro. Partimos el pan. El fruto de la vid es servido. Y sabemos que el cuerpo y la sangre de Cristo han triunfado sobre nuestras diferencias.

Nuestra relación con Cristo se ha renovado – en medio de nuevas amistades.

Mientras nos preparamos para partir, intercambiamos abrazos y sonrisas y como la mayoría de todas las noches, la atmósfera está más llena de esperanza que cuando comenzamos.

Porque Cristo ha estado con nosotros.

Y nosotros le hemos dado gracias.

7. DANDO FORMA

"Usted no piensa en el camino hacia una nueva forma de vivir,
Usted vive el camino hacia una nueva forma de pensar."

La Comunidad Koinonía

Dando Forma

Recuerdo el haber leído un estudio histórico muy interesante sobre los diarios de muchachas adolescentes.[1] Sus autores empezaron estudiando los diarios privados de jovencitas en los últimos años de 1800.

La mayoría de estos diarios habían sido mantenidos escondidos bajo llave. Las anotaciones muestran que estas jovencitas contaban con gran madurez y desenvoltura. Escribieron muy apasionada e inteligentemente sobre sus metas principales en la vida – el autocontrol, la caridad, y el desarrollo del carácter basado en el servicio a los demás. Demostraron una sobriedad y confianza en sí mismas, las cuales ellas creían fundamentales para vivir vidas productivas y virtuosas. Obviamente habían sido moldeadas por la presión dominante de la era Victoriana.

Los investigadores entonces avanzaron en el tiempo y compararon estos diarios con los diarios de jovencitas en el presente.

Por supuesto, éstos no requerían de llaves para ser abiertos.

Se encontraban en el Internet.

Al leerlos, no hay duda, que los mismos también fueron escritos por mentes jóvenes que así mismo fueron moldeadas por su propia cultura.

La jovencita adolescente promedio se encuentra expuesta a unas tres mil imágenes comerciales a diario.[2] Estas imágenes promocionan el glamour, la sofisticación y todo el encanto de las últimas modas y novedades.

Las mismas promocionan imágenes poco realistas sobre tipos de cuerpos – la joven mujer promedio en la portada de las revistas mide 5 pies 11 pulgadas y pesa 110 libras. Estas medidas representan solamente el 3% de la población femenina. Y la influencia increíble de estas imágenes sale a flote en estos diarios. Un sociólogo los describió como nada más que, "catálogos de deseos por mejores cuerpos y las instrucciones para lograrlo."

No hay duda que nuestra cultura nos moldea. Nos influencia para aceptar ideales específicos basados en valores específicos. Le da forma a nuestros deseos, a nuestras metas y la forma en que comprendemos nuestro más profundo ser.

Jesús en cambio ofrece moldearnos de una manera distinta. Es muy diferente de la forma en que el mundo lo hace. Jesús quiere moldearnos de manera que encontremos ese tan anhelado verdadero significado de la vida – y así ayudarnos a moldear nuestra cultura para mejorarla.

Esta es una de las grandes razones por las que los cristianos establecemos iglesias – no solamente hablamos de edificios, sino comunidades de personas que comparten convicciones. Nos unimos no solamente para adorar, sino para convertirnos en lugares que refuerzan nuestros valores cristianos compartidos de amor, esperanza, compasión, inclusión y hospitalidad.

Los episcopales vemos que la formación y el desarrollo de comunidades es uno de nuestros llamados más importantes. Como muchas iglesias, vemos nuestro trabajo de moldear a las personas como una forma de vivir las palabras de Jesús de "vayan, pues, a las gentes de todas las naciones y háganlas mis discípulos" (San Mateo 28:19). La liturgia es una de las formas principales en que la iglesia crea comunidad y forma discípulos.

La Liturgia

Una de las cosas que realmente amo de mi trabajo es dirigir la plegaria eucarística (la oración que hacemos sobre el pan y el vino) en los servicios de la mañana del domingo.

Abro mis brazos ampliamente mientras me encuentro parado en el altar viendo a las personas y orando con las palabras ya conocidas que leo de un gran libro rojo. Cuando miro a la congregación veo que la mayoría está escuchando atentamente (o al menos eso es lo que quiero pensar que están haciendo).

Algunas personas están paradas. Otros están de rodillas.

Aunque de hecho solo una persona está repitiendo entre labios lo que yo digo.

Su nombre es Adriana. Ella se ha memorizado está larga oración.

Adriana tiene nueve años.

Fue bautizada en mi iglesia. Ha crecido viniendo a la escuela dominical. Es acólito y miembro del coro de niños. Casi nunca falta a la iglesia. Se ha aprendido las palabras de la plegaria eucarística desde hace ya años.

También se sabe el Credo Niceno, un buen número de himnos y la oración de poscomunión. No hay duda en que la liturgia ha causado un gran efecto en su vida. Si el hecho de que su padre y su abuelo crecieron de la misma manera nos da algún indicio, Adriana está destinada a ser una de las cristianas más devotas que yo he conocido.

Y ya lo es.

La liturgia tiene ese efecto en las personas. Tanto jóvenes como viejos. La liturgia tiene la capacidad de moldearnos en formas que ya conocemos y en formas que nunca llegaremos a conocer.

Es la magia de esta historia maravillosa de sacrificio, perdón y amor que la iglesia repite en palabras y acciones semana tras semana el cual tiene un efecto incalculable en nosotros. Como un teólogo lo dice, las iglesias son fundamentalmente comunidades de recuerdo, "donde los relatos antiguos vuelven a ser contados, y donde el relato está acompañado de visiones, sonidos y olores que se impregnan en niveles subterráneos de nuestra consciencia."[3]

Esa es una de las razones por las que la mayoría de nuestras iglesias exhortan a los niños a que participen. Le damos la bienvenida a los niños como acólitos, coristas, lectores y como ujieres – en todo lugar donde podamos colocarlos. Sabemos del efecto acumulativo que la liturgia tiene en las vidas de los grandes como de los pequeños.

El libro de los Proverbios dice, 'dale buena educación al niño de hoy, y el viejo de mañana jamás lo abandonará.'

La liturgia nos ayuda a criar niños que saben que su identidad no se basa en cómo se ven o en lo que poseen. La liturgia nos ayuda a criar niños que saben que su identidad no se basa en lo que el mundo dice que ellos son. La liturgia nos ayuda a criar niños cuyas identidades están profundamente moldeadas por la historia de Jesús.

La Familia

Usualmente, los niños no se acuerdan de su primera experiencia en la Iglesia Episcopal. Los episcopales bautizamos a los bebés. (más en la página 155).

Eso significa que traemos a padres, abuelos, amigos y a la congregación para que se unan en la celebración y sean testigos de este momento cumbre en la vida de un cristiano.

Aunque la parroquia pueda jugar un papel crucial en el crecimiento y el desarrollo del niño, así mismo es tan importante nuestra responsabilidad de ayudar a los padres. Ayudar a los padres a ser padres. El criar a un niño requiere de más de dos personas. Requiere de una familia aún más grande.

Una de mis maestras favoritas de la escuela dominical es Noreen. Ella tiene hijos propios y tiene nietos. Pero no tiene a ninguno de ellos en su clase de escuela dominical. En cambio tiene a una docena de adolescentes bulliciosos que no tienen ninguna relación sanguínea con ella.

Y entonces ¿por qué le llaman "Mamá?" Es porque Noreen es familia para ellos.

Es debido a las formas desinteresadas en las que se entrega semana tras semana, lección tras lección, noche de pizza tras noche de pizza, viajes misioneros tras viajes misioneros. Noreen, como los millones de maestros de Escuela Dominical alrededor del mundo, les muestra a nuestros niños de maneras profundas que ellos son importantes, aceptados y principalmente que son amados.

Muchas Iglesia Episcopales ofrecen unos planes de estudio muy dinámicos para ayudarnos en la crianza de nuestros niños. Los mejores programas reflejan nuestro compromiso por la razón y una consideración a la profundidad y al rigor de acuerdo a la edad. Sabemos también que mucho del ministerio de jóvenes se lleva a cabo con una teología superficial y poco profunda.

Muchas de nuestras parroquias están comprometidas con planes de estudio como la 'Catequesis del Buen Pastor,' 'Jugando con Dios' y

Moldeando a nuestros niños

El día de hoy, el mantener a nuestros niños en la iglesia es un gran desafío. Muchas parroquias lo están logrando de manera efectiva con planes de estudio dinámicos y efectivos.

Algunos de los programas más populares han sido desarrollados por la Morehouse Publishing, (Plan de Estudio Episcopal, Todas las Cosas Nuevas) y por LeaderResources (En camino a la edad Adulta). Véalo en: www.morehousepublishing.org y www.leaderresources.org

Escuelas y Universidades Episcopales

NOAH SHELDON

Existen cientos de escuelas episcopales pre-escolares, primarias y secundarias en los E.E.U.U. A continuación hay una lista de universidades, incluyendo el Bard College que alberga el Performing Arts Center diseñado por Frank Gehry (arriba):

- Bard College, Annandale-on-Hudson, Ny
- Clarkson College, Omaha, NE
- Hobart/William Smith Colleges, Geneva, NY
- Kenyon College, Gambier, OH
- St. Augustine College, Chicago, IL
- St. Augustine College, Raleigh, NC
- St. Paul's College, Lawrenceville, VA
- The University of the South, Sewanee, TN
- Voorhees College, Denmark, SC

"Centro de Adoración,' que están basadas en principios de Montessori. 'En camino a la edad adulta' proporciona grupos de estudios pequeños y relacionales para niños de edad primaria. Ofrecen componentes fuertes de la liturgia. Y terminan con viajes misioneros y peregrinajes que normalmente transforman la vida de los niños.

Una vez que los niños llegan a los 16 años muchas parroquias los exhortan a que sirvan como líderes en la Junta Parroquial (la junta de la iglesia). Los jóvenes también son elegibles para tomar papeles de liderazgo en comités a nivel diocesano y hasta a nivel nacional.

Nos gusta pensar que nuestros niños no son el futuro de la Iglesia Episcopal.

Nuestros niños son la Iglesia Episcopal.

Llegando a la Edad Adulta

A pesar del profundo efecto que nuestra liturgia tiene en nuestras vidas como adultos,

Esto parece extraño cuando consideramos que muchos de nosotros continuamos tomando clases universitarias a lo largo de nuestras vidas. Muchos de nosotros continuamos haciendo ejercicio y comiendo adecuadamente durante nuestras vidas. Pero ¿por qué no continuamos con el mismo vigor en la búsqueda del desarrollo de lo que nosotros decimos es el aspecto más importante en nuestras vidas – nuestra espiritualidad? Este es un desafío para la mayoría de los cristianos y la mayoría de congregaciones, incluyendo la mía – aunque sí tenemos algunas cosas importantes para ofrecer.

La Educación para Adultos en la mayoría de las iglesia episcopales a menudo refleja nuestra convicción por escuchar y por mantener mentes abiertas. Después de los eventos del 11 de septiembre del 2001, algunas iglesias reaccionaron con sermones a favor de movimientos militares y promesas de apoyo al gobierno. Otros, incluyendo muchas congregaciones episcopales, reaccionaron de manera distinta – ofreciendo foros para explicar el Islam y promover el diálogo entre los cristianos y los musulmanes.

De hecho, los foros con oradores invitados son un baluarte en muchas de las parroquias episcopales. Muchos de nosotros creemos que parte de la misión de la iglesia es el

Seminarios Episcopales

Y aunque las siguientes escuelas de posgrado mayormente ofrecen educación a candidatos al ministerio ordenado, la mayoría también abren sus puertas a personas laicas que están interesadas en el crecimiento del conocimiento cristiano.

- Berkeley Divinity School en Yale, New Haven, CT
- Bexley Hall, Colgate-Rochester, Columbus, OH
- Church Divinity School of the Pacific, Berkeley, CA
- Episcopal Divinity School, Cambridge, MA
- Episcopal Theological Seminary of the Southwest, Austin, TX
- General Theological Seminary, New York, NY
- Nashotah House, Nashotah, WI
- Seabury-Western Seminary, Chicago, IL
- Sewanee, University of the South, Sewanee, TN
- Trinity Episcopal School for Ministry, Ambridge, PA
- Virginia Theological Seminary, Alexandria, VA

proporcionar lugares de diálogo para puntos de vista en conflicto. Las Iglesias Episcopales normalmente abren sus puertas a programas de 12 pasos para que usen sus instalaciones. También es común encontrar clubs de libros y clases cortas sobre varios temas de la formación cristiana.

Por muchos años, la University of the South en Sewanee, Tennessee ha ofrecido un curso llamado Educación para el Ministerio (EFM según sus siglas en inglés) a través de parroquias locales. Este plan de estudio de cuatro años está diseñado para laicos y se aproxima al rigor del entrenamiento del seminario. Los estudiantes aprenden sobre el Antiguo y Nuevo Testamento, la historia de la iglesia, la liturgia y la teología. Se reúnen regularmente, normalmente una vez por semana en seminarios, bajo la guía de mentores entrenados y certificados. (www.sewanee.edu/EFM/index.htm).

De hecho, los seminarios episcopales son recursos abundantes para la educación continua. Muchos de ellos ofrecen cursos durante el año y durante el verano. La mayoría están abiertos al público. La escuela de teología, The Church Divinity School of the Pacific, ofrece docenas de cursos a nivel posgrado por Internet. (Centro de Aprendizaje y Liderazgo Anglicano www.cdsp.edu/center.php). Los mismos también son económicamente accesibles con descuentos ofrecidos para aquellos que se inscriben con amigos.

El Dinero

Pero cuando se trata de moldear nuestras vidas, pocas cosas tienen tanta influencia en la vida de los estadounidenses como lo tiene el dinero.

Nos moldea más de lo que quisiéramos admitir.

Moldeó las enseñanzas de Jesús quien habló más del dinero que de otra cosa (además del Reino de Dios).

Una de las deudas que tengo hacia mi Iglesia es que me ha ayudado a hablar acerca de mis propios asuntos sobre el dinero, aunque la conversación es continua y difícil. Quizás es porque nosotros, los estadounidenses, somos tan ricos. Y la Biblia no habla muy bien de las personas ricas.

Aún la lectura más superficial de los Evangelios pone una sombra de duda sobre las personas pudientes. Jesús dice en San Mateo 19:23 "Les aseguro que difícilmente entrará un rico en el reino de los cielos." La plegaria de alabanza famosa de María, la madre de Jesús, en San Lucas 1:53 dice, "Llenó de bienes a los hambrientos y despidió a los ricos con las manos vacías." Y en San Lucas 6:24, Jesús dice, "Pero ¡ay de ustedes los ricos, pues ya han tenido su alegría!" y la lista continua.

Claro que puede que no nos sintamos ricos. Pero somos el 5% de la población del mundo y utilizamos el 30% de sus recursos. Gastamos más dinero durante las mañanas en Starbucks que la mayoría de las personas en todo un día. Vivimos en la nación más rica, opulenta y mejor armada que el mundo haya conocido. Y aunque la mayor parte del mundo se va a la cama con hambre, nosotros nos vamos a la cama sintiéndonos culpables.

Influenciados por lo que el mercado llama la 'cultura del consumismo,' de comprar ahora y pagar después, muchos de nosotros nos vemos succionados sin misericordia por un remolino de adquisiciones de gastos sin mayor consideración, y cuando menos lo sentimos, si acaso ustedes son como yo, se preguntarán, y ¿a dónde se ha ido todo el dinero? En este momento, mientras escribo, la tasa fluctuante de ahorros es de hecho negativa – es decir que el estadounidense promedio está gastando más de lo que genera (la tasa es aún más alta para las personas que se encuentran en los veintes).

Hemos perdido el contacto con el significado de la palabra 'suficiente'

Pequeños cambios = Grandes cambios

En 1889 un grupo de mujeres episcopales crearon la Ofrenda Unida de Acción de Gracias. La misma exhorta a los episcopales a dar gracias a través de ofrendas caritativas. La UTO (según sus siglas en inglés) reparte cajitas azules y pide que pongamos dinero cada vez que nos sentimos bendecidos. Una vez que el dinero se ha contado, la UTO otorga donaciones para diferentes proyectos que suman de dos a tres millones de dólares cada año. Obtenga su cajita azul en el: www.episcopalchurch.org/uto

viven sus vidas. Le podemos llamar una 'crisis de la humanidad' – somos casi ajenos al hecho de que la mayoría del mundo vive en condiciones infrahumanas. La Avenida Madison (en inglés Madison Avenue) no nos lo va a decir. Hollywood tampoco nos dirá esto. Pero Jesús sí lo hace.

La Biblia nos cuenta que el rostro humano de Jesús se encuentra en las personas pobres. Jesús les llamó 'mis hermanos más humildes.' (San Mateo 25)

Uno de los regalos que mi iglesia me ha ofrecido es la oportunidad de hablar honesta y abiertamente sobre mi relación con el dinero.

Después de todo, no es realmente mi dinero.

La palabra 'mayordomo' viene del latín maior + domus, que significa el principal, el más importante de la casa. Claro está, se refería al estatus entre los servidores.

En un sentido muy real esta palabra connota el cuidado de nuestras posesiones más valiosas.

Death and Taxes

They're life's unavoidables. Find out where your taxes go: http://nationalpriorities.org/auxiliary/interactivetaxchart/taxchart.html

De la misma manera, los episcopales consideran que la mayordomía es el uso apropiado y generoso de nuestro tiempo, talento y tesoro. En una escala más grande, nosotros vemos nuestra mayordomía como todo lo que hacemos con nuestras vidas después de decir 'Yo creo.'

Entendemos que Dios no quiere nuestro dinero tanto como Dios quiere que nosotros seamos dadores gozosos y generosos de todo lo que tenemos. Dios quiere moldearnos para ser personas generosas.

Los estadounidenses de manera particular necesitamos escuchar nuestro llamado a la filantropía y a la generosidad a una escala global. Los episcopales luchamos por comprender la disciplina de apoyar a nuestras parroquias como una forma de ejercitarnos en el dar. Sabemos que mientras más demos a nuestras parroquias, más nuestras parroquias pueden dar a los más necesitados.

La mayoría de las iglesias recaudan dinero cada año en una actividad a nivel parroquial llamada campaña de mayordomía (aunque algunos miembros afectuosamente le llaman súplica-ton).Usualmente sucede en el otoño. Hablamos de dinero. Predicamos sobre dinero. Nos recordamos unos a otros que el dinero no es un asunto secular, es un asunto espiritual. Solamente el dinero puede tocar nuestras más profundas convicciones de identidad, propósito, idolatría y valor propio. No siempre es una conversación agradable. La mayoría de las parroquias les piden a sus miembros que firmen una tarjeta de promesa. Una vez que estas tarjetas son recogidas, entonces trabajamos en el presupuesto y oramos para que todos podamos cumplir con nuestras promesas. Parte de este presupuesto va al liderazgo regional y nacional para ayudar a la programación de los fondos, esfuerzos de ayuda y otras actividades (más sobre esto en la página 145).

El estándar de las ofrendas dentro de la Iglesia Episcopal es el diez por ciento del ingreso bruto. A éste se le llama 'diezmo.' Esta es una tradición de la Iglesia que ha existido por largo tiempo y que ha sido formalizada recientemente por medio de una resolución aprobada por nuestra Convención General (el cuerpo legislativo de la Iglesia que se reúne cada tres años). La misma invita a todos los episcopales, "a desarrollar una disciplina espiritual personal que incluya, por lo menos, los hábitos sagrados del diezmo, la oración personal diaria, el estudio, el día de reposo y la adoración semanal en comunidad." 5

En realidad, el nivel de ofrendar en mi iglesia, como en la mayoría, es mucho menor. No nos encontramos donde quisiéramos estar y ese es uno de nuestros mayores defectos. Pero como en el caso de innumerables iglesias, estamos haciendo la lucha. Y nuestro deseo por ser los mejores seguidores de Cristo es la razón por la que nuestras comunidades de fe son tan vitales. Debemos expandir nuestras conversaciones sobre el dinero y de las cosas que moldean nuestras vidas. Sabemos que estamos llamados a unirnos a un sinnúmero de personas en esta ardua conversación – no lo podemos hacer solos.

Se trata de comunidad. Se trata de humildad.

Se trata de ser el Cuerpo y la Sangre de Cristo. Y se trata de usar estos tres para ayudarnos a moldear nuestras vidas en la clase de personas que queremos llegar a ser.

8. LA PALABRA

La Biblia no siempre debe tomarse literalmente,
Pero siempre debe tomarse seriamente.

La Palabra

Cerca del final del milenio, recuerdo haber recortado un artículo del periódico. El periódico había reunido a un grupo de expertos para hablar sobre la construcción de una cápsula de tiempo.1 Los editores querían saber cuál era la mejor manera de transmitir información de tal forma que durara mil años - del año 2000 hasta el 3000.

"Estamos pensando en un tipo de cápsula digital. ¿Qué piensan ustedes?" Le preguntaron al grupo de expertos.

"Lo digital es un problema," dijo un experto en conservación, "Los medios de almacenamiento digitales – los disquetes, los discos compactos o lo que sea – no duramucho – como máximo unas pocas décadas. Un medio análogo es lo que deberían utilizar."

Así que los expertos debatieron sobre fotografías, discos de vinilo, datos grabados en metales costosos y otros s medios hasta que una experta en conservación de papel entró en la conversación diciendo: "No se olviden del papel", dijo ella. Al grupo le empezó a gustar la idea a medida que ella explicaba el excelente historial del papel, "Algunos papeles han durado más de mil años, bajo condiciones apropiadas, el papel sin ácido puede durarmucho tiempo," continuó diciendo.

Más tarde, surgió la pregunta sobre dónde dejar guardada la cápsula.

¿Dónde ponemos esta "cosa" una vez la empaquemos ?

Esto dio cabida a muchas preguntas:

¿Deberíamos enterrar la cápsula? ¿Dónde?

¿Cómo marcamos su ubicación sin atraer saqueadores?

¿Qué pasaría con los terremotos, el aumento de las tablas de agua subterránea, los cambios en los gobiernos y las líneas fronterizas?

"Lo que necesitamos es un 'clero' sugirió un profesor de física, "gente que se dedicará a la adoración y se encargará de cuidar la cápsula. Una institución estable, como una sinagoga...que la proteja y se la lleve cuando cambien de lugar y dirección . Se puede contar con que las instituciones culturales sean conservadoras y perduren más que cualquier otra."

Caramba, pensé.

Así es como obtuvimos la Biblia.

Palabras inspiradas grabadas en piedra, en pieles de animales, en papiro y papel, escondidas en cuevas, enterradas en bodegas, copiadas por escribas, defendida por monjes, valoradas y preservadas por dos mil años por instituciones culturales que de alguna manera sobrevivieron guerras , hambre, invasiones, sequías y persecuciones.

Así es como la Biblia llegó a nuestros libreros. Es un libro milagroso y misterioso, una colección llena y creadora de maravillas, relatos, poemas y canciones. La historia y la sabiduría que los cristianos siempre hemos creído contienen las llaves para la salvación.

¿Por qué tantas personas han pasado por tantos estragos para salvaguardar este libro? ¿Qué lo hace digno de morir por él?

Para un buen porcentaje de aquellos que han caminado sobre la faz de la tierra la respuesta es bastante simple.

Dios nos habla a través de la Biblia.

La Iglesia Bíblica

Los episcopales, como otros cristianos, arraigamos firmemente nuestra fe en el Evangelio de Jesucristo, como éste se revela en la Biblia.

Es la base de todo lo que hacemos. De hecho se podría argumentar que los episcopales y nuestra madre espiritual, La Iglesia de Inglaterra, hemos hecho más para promover la Biblia que ningún otro grupo de cristianos.

Cómo leer la Biblia

1. Comiencen con el Evangelio de Marcos
2. Lean la Biblia utilizando al mismo tiempo un libro de referencia (conocido como "Comentario")
3. Léanla en diferentes traducciones
4. Léanla en una clase o en grupo
5. Tómenla seriamente pero no literalmente
6. Adoren a Dios, no adoren la Biblia

Es importante resaltar que la Iglesia de Inglaterra nos trajo la Biblia en inglés. Hace ma´s o menos quinientos años, teólogos y líderes de la Iglesia de Inglaterra se aseguraron que cada parroquia reemplazara sus Biblias en latín con versiones en inglés – y que a toda persona en la parroquia, no solo al clero, se le permitiera leer la Biblia.

A medida que el Imperio Británico creció, la Biblia Inglesa, especialmente la Versión Autorizada por el Rey Jaime, recorrió el mundo entero. Hoy en día, muchos estadounidenses están obsesionados con la Biblia en inglés.

Desde la creación de la Versión Autorizada por el Rey Jaime, ha habido no menos de 500 traducciones al inglés. Los estadounidenses compran cerca de 25 millones de copias de la Biblia cada año (el doble de lo que vende un libro nuevo de Harry Potter), sumando casi 500 millones de dólares.

El 90 % de hogares tienen por lo menos una Biblia - el hogar promedio tiene cuatro.

Y la organización Gedeón Internacional, con sede en Los Estados Unidos, regala una Biblia nueva cada segundo de cada día.[2]

La Biblia en inglés ha influenciado a más personas (y más asuntos políticos) que cualquier otro libro escrito antes.

Nuestro libro de oración llamado Libro de Oración Común explica nuestra devoción a la Escritura. Poco tiempo después de establecerse la Iglesia Episcopal, seguimos la Iglesia de Inglaterra y adoptamos los Artículos de

¿De dónde vienen las lecturas bíblicas dominicales?

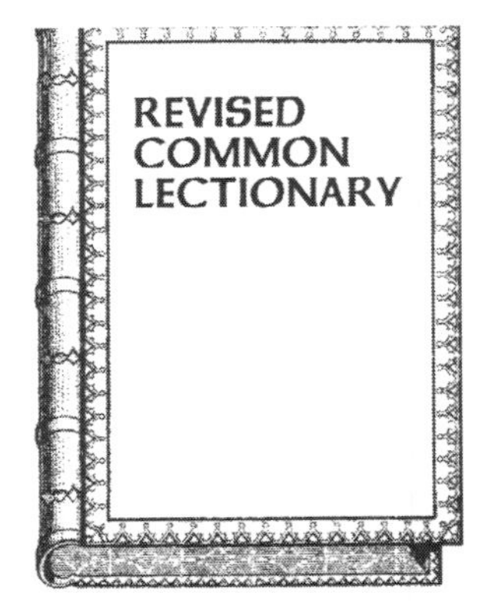

Los episcopales, como otras iglesias litúrgicas, escuchamos muchas lecturas bíblicas los domingos. Seguimos un ciclo de lecturas llamado el Leccionario Común Revisado. Compartimos este leccionario con católicos romanos, presbiterianos, luteranos y muchos de los cristianos alrededor del mundo. El seguir un leccionario nos permite escuchar toda la Biblia, el Evangelio completo. Nos ayuda a no solamente elegir o seleccionar ciertos textos favoritos sino también a no evitar los más difíciles.

la Religión (que se encuentran en las últimas páginas del Libro de Oración Común). El Articulo VI dice que las Sagradas Escrituras "contienen todas las cosas necesarias para la salvación; de modo que cualquier cosa que no se lee en ellas, ni con ellas se prueba, no debe exigirse de hombre alguno." (Libro de Oración Común, página 762)

En todas las ordenaciones episcopales, los diáconos, los sacerdotes y los obispos tienen la obligación de dar fe a este "Juramento de Conformidad" como parte de sus votos: "y declaro solemnemente que creo que las Sagradas Escrituras del Antiguo y Nuevo Testamento son la palabra de Dios, y que contienen todas las cosas necesarias para la salvación."

Aunque nunca la he visto mencionada de esta manera, la Iglesia Episcopal es una iglesia bíblica.

Nosotros creemos que en cuestión de fe no hay nada que juegue un papel más importante que las Sagradas Escrituras. La mayoría de nosotros nos consideramos muy dentro del contexto bíblico ortodoxo tal como lo hemos heredado y continuamos valorando la Biblia como nuestro fundamento.

Los episcopales demostramos nuestra devoción a través de la manera en que adoramos.

En la mayoría de nuestras iglesias, durante la misa en cualquier domingo, se escuchan por lo menos cuatro lecturas: una lectura del Antiguo Testamento, un salmo, una lectura del Nuevo Testamento y la lectura del Evangelio. Nuestras oraciones están repletas de ideas, metáforas y de citas bíblicas. Cuando no se cita la Escritura directamente, nuestros servicios eucarísticos están llenos de imágenes bíblicas.

Las lecturas asignadas para el domingo están organizadas de tal manera que las porciones principales de la Biblia puedan leerse con la congregación cada tres años.

Todos aquellos que son fieles a las oraciones matutinas y vespertinas sugeridas en el libro de oración, (más información al respecto en la página 102), encuentran que en un poco más de dos años leen una porción aún más grande de la Escritura. De hecho, el libro de los Salmos se lee varias veces. A la vez que leer la Escritura es vital para el crecimiento de cada cristiano, es el leer juntos la Escritura lo cual siempre ha jugado un papel central en nuestro uso de la Biblia.

La Interpretación

Todos sabemos que la Biblia es complicada.

Todos hemos escuchado interpretaciones descabelladas que han llevado a consecuencias poco convencionales.

La Biblia en realidad no es un libro, sino una colección de libros, los cuales fueron escritos a través de muchos siglos por un número de autores muy distintos. Es comprensible que haya discrepancias.

Por ejemplo, en el libro de Génesis, la Biblia nos provee dos relatos distintos sobre la Creación y dos versiones de cómo los israelitas obtuvieron a su primer Rey. El escriba del Deuteronomio argumenta que el bien es siempre recompensado y el mal es siempre castigado, lo cual es refutado por las experiencias contrarias de Job; el argumento en contra de tomar por esposa a una mujer extranjera en Esdras y Nehemías es refutado por la vida recta y honrada de Ruth, la extranjera quien fue bendecida en su matrimonio con un israelita. La mayoría de eruditos están de acuerdo con la idea de que en algunos casos la Escritura ha corregido versiones anteriores de sí misma, "y en otros casos, ha permitido que argumentos rivales fueran expuestos y comparados sin tener que ser resueltos."3 No es extraño entonces que la escritura ha sido utilizada para justificarlo todo, desde la esclavitud, el apartheid, hasta la opresión de las mujeres. Lo cierto es que cuando alguien dice, 'La Biblia claramente lo dice...' es más probable que lo que están diciendo es, 'Mi interpretación de la Biblia claramente me dice...'

¿Cómo entonces encontramos sentido en las aparentes contradicciones de la Biblia y en el hecho que por largo tiempo se han utilizado citas fuera de contexto para justificar casi cualquier agenda política?

¿Cómo discernimos de esta antigua y complicada colección de libros la palabra de Dios para nuestros tiempos?

¿Podemos en realidad tomar la Biblia en serio?

Por supuesto que sí. Todo sabemos que interpretar la Biblia es un trabajo duro.

Los desacuerdos existen sobre una amplia variedad de temas.

Aún los episcopales no estamos de acuerdo en interpretar la Biblia de una manera en particular.

Sin embargo la mayoría de nosotros actuamos basados en dos fuertes convicciones:

Nosotros leemos la Biblia juntos, y además

lo hacemos de forma razonable y responsable.

Si tuviera que elegir una palabra para describir cómo los episcopales leemos la Biblia tendría que ser que la leemos en comunidad. Creemos que nadie posee un entendimiento completo sobre las Escrituras. Creemos que la verdad surge cuando todos tenemos oportunidad de opinar. Es una convicción que hemos albergado desde hace mucho tiempo, , "tanto para la primera generación de anglicanos como para los anglicanos de hoy, la Biblia nunca fue diseñada para leerse en aislamiento."4

La idea de una persona leyendo la Biblia prescindiendo del conocimiento experto del teólogo o sacerdote, (o los puntos de vista singulares de la viuda jubilada o del adolescente fascinado con la patineta) es realmente inaceptable para la mayoría de nosotros. Me gusta el comentario de un teólogo anglicano quien discutía con los puritanos en el siglo XVI, diciéndoles, "Poca lectura [provee] poco alimento [para las almas hambrientas]."5

También creemos que así como ustedes y yo podríamos tomar una clase para aprender más sobre la interpretación de las obras de Shakespeare - o leer un libro para aprender a construir una terraza en el patio trasero de la casa – es común para los episcopales estudiar con expertos, tomar clases y leer comentarios como formas de estudiar la Biblia. Creemos que, "como todos los libros, la Biblia tiene una historia que determina cómo debe ser leída."

Es una historia que debe ser aprendida y sus límites deben ser respetados.

No podemos encontrar en la Biblia lo que nunca fue escrito en ella. Tampoco podemos simplemente seleccionar y tomar las citas que satisfacen nuestras necesidades y reafirman nuestros prejuicios, extrayendo pasajes fuera de contexto y convirtiéndolos en eslogans."[6]

La Biblia fue escrita por un grupo particular de personas, en lugares particulares y con agendas particulares. Creemos que es razonable tomar el contexto de la Biblia seriamente, y con la palabra contexto queremos decir:

- El contexto de la adoración pública en donde la Biblia ha sido escuchada, hecha plegaria y predicada;
- El contexto de culturas y lenguajes antiguos en donde la Biblia fue escrita y publicada por primera vez;
- El context de la tradicion, especialmente la de los primeros siglos de la cristiandad, en donde comenzaron a crearse metodos para leer la biblia, característicamente cristianos. El contexto de casi dos mil años de cambios intelectuales, científicos, religiosos y sociales. Ya que es con esto, que en tiempos y lugares distintos, los episcopales junto con otros cristianos han luchado con el significado de la biblia en nuestras vidas.[7]

El leer la Biblia responsablemente es una de las grandes razones por la cual los episcopales valoramos el sentido común.

No solamente resulta en una interpretación sólida, sino que le da la dignidad, la majestuosidad y el valor que este gran libro verdaderamente merece.

El rehusarse a lidiar con las complejidades, ambigüedades y tensiones de la Biblia puede crear problemas.

¿"Hermano, eres salvo?"

Esta es la pregunta que a muchos cristianos les gusta hacer y nosotros tenemos nuestra propia respuesta.
Al centro de la Iglesia Episcopal se encuentra una respuesta positiva al llamado de Cristo cuando nos dice 'síganme'. Romanos 10:9 dice, "que si confiesas con tu boca que Jesús es el Señor, y crees en tu corazón que Dios lo levantó de entre los muertos, serás salvo." Los episcopales no solo creemos haber hecho esto en el momento de nuestro bautismo (si es que no antes) pero que estamos continuamente aceptando a Cristo en nuestros corazones cada vez que tomamos la Comunión.

Y puede causarnos daño.

O, algo peor.

El garrote

Estaba almorzando con mi amiga Heather el otro día. Ella me estaba contando sobre su mejor amiga. Cuando eran niñas, iban a la misma escuela pero a iglesias distintas.

Cuando Heather se quedaba a dormir en casa de su amiga, se esperaba que fuera a la iglesia con la familia el domingo por la mañana. Pero cuando su amiga se quedaba a dormir en casa de Heather, ella nunca iba a la iglesia con la familia.

Sus padres decían que era porque la iglesia de Heather no era una 'verdadera' iglesia. No leían la Biblia de la misma manera. Sus padres decían que la gente que iba a la iglesia de Heather no iría al cielo.

La mayoría de nosotros hemos escuchado relatos como el de Heather.

Las iglesias episcopales están repletas de personas como ellos. Recuerden que dos de cada tres de nuestros miembros son conversos. Muchos de nosotros tenemos tristes historias sobre nuestras experiencias con otros cristianos.

Muchos de nosotros tenemos historias tristes sobre nuestras experiencias con interpretaciones bíblicas que eran condenatorias, dañinas y ofensivas.

Esto va en un cuadro

Nosotros entendemos la salvación como un proceso, un camino, no un evento único. Usualmente nuestras diferencias con otros cristianos son acerca del lenguaje, no sobre nuestras creencias – una vez, un ex arzobispo de Canterbury respondió a esta pregunta de la siguiente manera,

"He sido salvado, estoy siendo salvado, espero ser salvado."

Muchos de nosotros hemos venido a la Iglesia Episcopal porque hacemos un gran esfuerzo de no utilizar la Biblia como un garrote.

Cuando se trata de leer la Biblia, los episcopales tenemos mucha precaución con interpretaciones de índole rígida y literal.

¿Tomamos la Biblia literalmente?

Seguro ("ama a tu prójimo").

¿Tomamos toda la Biblia literalmente?

No, (Cuando Juan el Bautista llamó a Jesús "el Cordero de Dios," probablemente no estaba insinuando que María tuvo un corderito). Sabemos que la gente tiende a interpretar la Biblia para que diga lo que ellos quieren que diga – de la misma manera que un borracho utiliza un poste de luz: más para apoyarse que para iluminarse.

Puede que no sea nuestra intención. Pero todos lo hacemos.

Y cuando esto sucede, la Biblia, el testamento más profundo del extraordinario amor de Dios, pierde su poder para siempre. .

Puede herir, puede mutilar y puede destruir.

Puede convertirse en un garrote - y a nadie le agrada eso.

Ésta es la razón por la que tendemos a tener una mente abierta con respecto a la Biblia. La leemos juntos para que la interpretación de una sola persona no nos lleve a actuar irracionalmente. Buscamos que la erudición moderna nos informe sobre los nuevos descubrimientos en la ciencia, la literatura y la arqueología.

Esperamos que las Escrituras sean estudiadas con la misma clase de erudición aplicada a cualquier otra gran obra literaria. Nuestra naturaleza no es tomar una posición defensiva sino más bien ampliar la conversación, recibiendo con brazos abiertos nuevas formas de estudiar las Escrituras en comunidad.

Y nos deleitamos en la manera en la cual nuestro patrimonio episcopal y contribuciones están siendo utilizados para avanzar la obra de sanación que muchas personas están llevando a cabo.

Nos unimos a cristianos de todas las eras quienes han mantenido y valorado la Biblia.

Es un manifiesto revolucionario que nos muestra una forma radical de vida nueva .

Es una invitación mágica a conocer el amor de nuestras vidas.

Es un álbum familiar hecho para ser atesorado y adorado por todo el pueblo de Dios.

Es un repositorio solemne de nuestra verdadera identidad – que nos dice quiénes somos en realidad.

Y, quizás lo más importante, se trata de Dios hablándonos el día de hoy - y esta es la razón por la cual la Biblia nunca necesitará ser puesta en una cápsula de tiempo.

9. EL MAPA

'¡Qué bello!
Tiene tantas citas buenas del Libro de Oración'
Dicho por un episcopal después de leer la Biblia.

El Mapa

Tengo una amiga muy querida de nombre Judith.

Le encanta conocer personas.

Le encanta ayudar a las personas.

Muchas veces los domingos se para atrás en la iglesia buscando los rostros de cualquier persona que esté visitando la iglesia por primera vez. Cuando encuentra a alguien, se presenta con su nueva amistad y se ofrece como guía a través de la celebración de la Eucaristía. Ella sabe que a las personas nuevas se les dificulta seguir el ritmo de la misa. Así que toma un Libro de Oración y se sienta con ellos durante toda la Eucaristía para guiarles a través de la misma.

Judith es nuestra señora del mapa.

Por más devotos que los episcopales son a la Biblia, si entran a cualquier Iglesia cualquier domingo y buscan en una de las bancas probablemente no encontrarán una. Pero sí encontraran otro libro:

El Libro de Oración Común.

Más que ningún otro grupo de cristianos, los episcopales somos un pueblo del libro. Este libro influye profundamente en nuestra manera de orar y en lo que creemos. Moldea nuestras almas, estructura nuestra adoración y nos alienta a entablar conversaciones continuas y sagradas con el Todopoderoso. A eas conversaciones se les da el nombre de oración.

Si la vida cristiana es un recorrido, el Libro de Oración Común es nuestro mapa.

Una manera de ver el libro de oración, es verlo como una Biblia, reorganizada para utilizarse durante la adoración. Sus oraciones y liturgias están enriquecidas con palabras y frases tomadas de los pasajes más amados de la Biblia. Su organización y simplicidad abre nuestros corazones a la grandeza y la maravilla de Dios en formas que son particularmente nuestras. "Sus textos y tradiciones recalcan una tradición viva, una forma distinta de ser cristiano.1

Es también nuestra ofrenda para el mundo.

Los adictos al Libro de Oración Común (como yo) a menudo reconocemos sus frases finamente creadas cuando se utilizan durante ceremonias públicas o privadas.. Lo he escuchado durante funerales presidenciales, bodas no religiosas al aire libre – aún en telenovelas.

Estoy seguro que muchos otros lo toman prestado también.

Y a nosotros no nos molesta.

Estamos felices de hacer todo lo que podamos para ayudar a las personas a orar. Nosotros creemos que el Señor inspiró nuestro libro de oración para poderlo compartir con ustedes.

Se pueden encontrar copias de El Libro de Oración Común en la mayoría de las grandes librerías. El libro cuenta con una voz elocuente, una simplicidad que inspira admiración y es además meticuloso en sus detalles. Es ortodoxo en materia de teología y generoso de espíritu. Su terminología precisa y su vocablo abreviado, han ayudado a innumerables personas a conversar con Dios y también entre sí. El libro de oración nos ayuda a orar de una forma que inspira nuestra imaginación, enriquece nuestras comunidades y principalmente, alimenta nuestras almas.

El Léxico

Una frase común que utilizamos para describir el efecto que la oración tiene sobre nosotros se encierra en una frase en latín que dice, "Lex orandi, lex credendi."

Esto significa que, "la oración moldea las creencias."

En otras palabras, la manera en que oramos da forma a lo que creemos.

Y esto difiere por ejemplo de los presbiteranos quienes tienen la Confesión de Fe de Westminster. O los luteranos quienes tienen las Confesiones de Augsburgo. Los episcopales nunca han tenido su propio credo o confesión. Lo que siempre hemos tenido ha sido la oración, mejor expresada en nuestro Libro de Oración Común. El libro de oración no ofrece fórmulas doctrinales precisas a las cuales adherirse, más bien ofrece la configuración que delinea nuestra práctica de la fe cristiana, moldeada principalmente por la adoracion."2

El papel importante que desempeña el Libro de Oración Común se mide mejor por el grado de pandemónium causado cuando se le hacen cambios. Nuestro libro de oración actual, fue adoptado en 1979 después de años de estudio y debate, y antes de estos cambios en 1928 el mismo fue actualizado. El proceso de cambiar el libro de oración nunca es fácil (la mayoría de clérigos que conozco oran en silencio para que cuando salga un nuevo libro ellos ya estén jubilados).

Este desacuerdo es principalmente causado porque los episcopales entienden que al cambiar nuestras oraciones también cambia lo que creemos.

Aquí hay un ejemplo: Una modificación muy importante al libro de oración (la versión de 1979) cambió la forma en que las personas oran antes de recibir la comunión. El cambio pide a los fieles que oren para pedir ser hechos dignos a través de Cristo y ser, "dignos de estar en tu presencia."(LOC 291)

Esto contrasta con el antiguo libro de oración (la versión de 1928), el cual enfatiza nuestra falta de mérito. Leía así, "no somos dignos siquiera de recoger las migajas debajo de tu mesa."(LOC 337 de la versión de 1928 en inglés). A pesar de que este cambio parecía nuevo, en realidad era un regreso a una oración de mucha mayor antigüedad – perteneciente al tercer siglo, cuando los cristianos

¿Qué hay acerca de los credos?

Apostles' Creed

I believe in God, the Father almighty,
creator of heaven and earth.
I believe in Jesus Christ, his only Son, our Lord.
He was conceived by the power of the Holy Spirit
and born of the Virgin Mary.
He suffered under Pontius Pilate,
was crucified, died, and was buried.
He descended to the dead.
On the third day he rose again.
He ascended into heaven,
and is seated at the right hand of the Father.
He will come again to judge the living and the dead.
I believe in the Holy Spirit,
the holy catholic Church,
the communion of saints,
the forgiveness of sins,
the resurrection of the body,
and the life everlasting.
Amen.

El Credo de los Apóstoles
Los episcopales también valoramos los Credos históricos. Recitamos el Credo de Los Apóstoles durante los bautismos, las oraciones matutinas y vespertinas. Usamos el Credo Niceno durante la Eucaristía, usualmente los domingos por la mañana. De acuerdo a los Artículos de la Religión aprobados en 1801, "El Credo Niceno y el comúnmente llamado de los Apóstoles deben recibirse y creerse enteramente, porque pueden probarse con los testimonios de las Sagradas Escrituras."(LOC 763)

eran más aptos a celebrar la victoria de Cristo sobre la muerte y el don de estar en gracia con Dios. A algunos les tomó mucho tiempo aceptar el cambio. Algunos pocos todavía no lo han hecho. El nuevo libro de oración tiene una espiritualidad distinta. Aunque para algunos de nosotros, se ha convertido en una espiritualidad más profunda.3

Mientras que a muchos de nosotros no nos gusta el cambio, sabemos que el mundo cambia. Nuestro lenguaje cambia, nuestros problemas cambian y nuestro entendimiento cambia. Esto afecta la forma en que interpretamos la Biblia. Hoy en día, eruditos hebreos y griegos traducen la Biblia con mayor fidelidad y los arqueólogos modernos ofrecen nuevas perspectivas sobre los tiempos bíblicos. Es por eso que se actualizan las traducciones bíblicas y es por eso también que se hace lo mismo con el libro de oración. Como lo dice el teólogo Leonel Mitchell, "El lenguaje de la teología debe ser capaz de escuchar y responder a estas nuevas experiencias sin cambiar su antiguo testimonio al eterno e inalterable Dios.4

Los Orígenes

Si la idea de un libro de oración suena bastante anticuada, lo es.

Es muy anticuada y cuenta con raíces muy profundas.

Como he mencionado, los primeros cristianos fueron judíos y basaron su adoración en la tradición hebrea que heredaron. Se reunían durante el día para escuchar la lectura de la Escritura y su posterior explicación. Después de esto, seguía algo que era característicamente cristiano – un ágape, o festividad de amor. Era algo que tomaba lugar en la noche y que conmemoraba la última cena - compartiendo el pan y el vino de acuerdo a las instrucciones de Jesús. Con el tiempo las dos tradiciones se unieron y crearon una sola. A medida que se esparció el cristianismo, estos ritos se transformaron y diferentes oraciones y liturgias fueron creadas para otros días (además del domingo) y para ocasiones (como bodas y funerales).

Estos ritos se escribieron y se agruparon en libros, los cuales se llamaban misales. Estos fueron los primeros libros de oración. Eventualmente llegaron a incluir liturgias para orar cinco y aún siete veces al día.

Con la llegada de la Edad Media, los misales habían llegado a ser tan largos y complejos que se volvió completamente imposible usarlos a menos que alguien tuviera el día entero para dedicarse a la oración - como un monje, una monja o un sacerdote.

Luego estaba también el problema del lenguaje.

Mientras que los misales eran utilizados en países diferentes en donde se hablaban diferentes idiomas, la mayoría de estos libros estaban escritos en latín.

En Inglaterra esta práctica cambió dramáticamente después de la Reforma, en 1549, durante el reinado del joven Eduardo VI se publicó el primer Libro de Oración Común – en inglés.

Se hicieron grandes cambios, especialmente en las devociones diarias. El nuevo libro de oración llama a la devoción diaria solamente dos veces al día, por la mañana y por la tarde. La idea era hacer que el libro fuera accesible para la gente común. Así fue como la palabra 'común' se convirtió en parte del título.

El Primer Libro de Oración Común

En 1549 bajo el reinado de Eduardo VI (hijo de Enrique VIII) el idioma principal usado para la adoración pública cambio de latín al inglés.
El primer Libro de Oración Común fue utilizado el 9 de junio de 1549, en domingo de Pentecostés, y este evento es todavía conmemorado en "el primer domingo después de Pentecostés."

Mientras que las batallas se prolongaban entre los protestantes y los católicos en Inglaterra, los nuevos libros de oración reflejaban los perjuicios y creencias de quien estaba en el trono. Estos libros fueron introducidos en 1552, 1559, 1604 y finalmente en 1662, el último de los cuales es todavía el libro de oración oficial de la Iglesia de Inglaterra. Sin embargo muchas liturgias alternas han sido aprobadas desde entonces - y es eso lo que encontramos en uso en la mayoría de Iglesias inglesas hoy en día.

Fue este Libro de Oración Común de 1662 el cual se utilizó por primera vez en las colonias en Norte América.

Pero después de la Guerra de la Revolución y la creación de la Iglesia Episcopal, necesitábamos un libro de oración nuevo. Necesitábamos uno que entre otras cosas no requiriera que los norteamericanos oraran a Dios por el Rey de Inglaterra. Nuestro primer libro de oración fue una revisión poco distinta a la versión de 1662 y fue aprobada en 1789. A este le siguieron nuevos libros de oración norteamericanos en 1892, 1928, y luego en 1979, que es la versión que se encuentra en la mayoría de parroquias episcopales hoy.

Poniéndolo a Prueba

Muchas de las preguntas que ustedes podrían tener acerca de la forma en que nosotros los episcopales oramos y de lo que creemos están en el Libro de Oración Común. Tiene ochocientas ochenta y ocho páginas y está diseñado científicamente para ser lo suficientemente delgado y caber en ese espacio que se encuentra en la parte trasera del respaldo de las bancas de la Iglesia.

El libro es poesía. Es prosa. Es magnífico. Y tiene la capacidad de invitarnos a un profundo entendimiento sobre el plan que Dios tiene para nosotros a través de Jesús.

Esto es lo que encontrarán cuando abran el Libro de Oración Común:

- Las Devociones Diarias - Oraciones Matutinas y Vespertinas que también se denominan como Oficios, pueden ser utilizadas por una sola persona, con otra persona o en congregación. Una versión; el Rito Uno utiliza una voz tradicional y la otra versión, el Rito Dos, es más contemporánea.
- Las Colectas - Estas oraciones son colecciones de pensamientos, de esto se deriva la palabra 'colecta'. También hay dos versiones de éstas, una tradicional y la otra contemporánea. Hay una para cada domingo del año y una para cada Día Santo; así como hay Colectas para ocasiones especiales, como cumpleaños y necesidades especiales como el desempleo y la enfermedad.
- Las Liturgias para días especiales - Como para la mayoría de cristianos, la Pascua es la celebración más relevante en todo el año. Las liturgias, desde el Miércoles de Ceniza hasta la Semana Santa se encuentran al comienzo del libro para indicar la importancia que tienen para nosotros.
- El Santo Bautismo – Los episcopales bautizamos a infantes tanto como

a adultos. Hacemos esto normalmente en ciertos domingos como parte de la Misa regular. Las parroquias difieren en sus costumbres. Algunas rocían agua, otras sumergen a los candidatos en el agua. En esta sección pueden encontrar la manera en que realizamos los bautismos y nuestras creencias al respecto.

- La Santa Eucaristía – En esta sección encontrarán lo que sucede en los servicios principales del domingo en la mayoría de las Iglesias Episcopales. Las Eucaristías que utilizan el Rito Uno son más tradicionales. Suelen ser las eucaristías que se realizan más temprano en las parroquias los domingos. Normalmente no incluyen música. Las Eucaristías que utilizan el Rito Dos son más contemporáneas. Muchas parroquias consideran la misma su Servicio principal. A menudo incluyen música. Si nunca han estado en una Iglesia Episcopal, esta parte del libro de oración es algo que deberían leer antes de asistir.
- Oficinas Pastorales – Los episcopales celebramos los momentos importantes en la vida; como la confirmación, el matrimonio, la reconciliación, las oraciones por los enfermos y los funerales con exquisitas liturgias. En el Libro de Oración Común también encontrarán estos servicios.
- El Salterio – Una de las distinciones de la adoración episcopal es que muchas de nuestras parroquias cantan los Salmos. La palabra Salmo proviene del griego psalmos, una traducción de la palabra hebrea, zmr, que quiere decir rasguear o puntear (como se hace con un instrumento musical de cuerdas). Originalmente los Salmos fueron compuestos para ser acompañados con la lira o el arpa. El Libro de Oración contiene una versión especial de los Salmos que hace que sean fáciles de recitar con música.
- El Catecismo - ¿En qué creemos los episcopales? Esta parte del Libro de Oración Común utiliza un formato de preguntas y respuestas para explicar las creencias de la Iglesia Episcopal.
- Los Leccionarios – Estos son calendarios de lectura de la Biblia. Ciertos pasajes están designados para ciertos días. Siguiendo este calendario, gran parte de la Biblia puede leerse individualmente (véase El Leccionario del Oficio Diario) y en colectividad (véase El Leccionario).

A Diario

La alarma del reloj sonó antes de que saliera el sol. Me subí a mi auto, bajé la capota y empecé a manejar cuesta arriba en dirección al cañón. Subí más y mas arriba, serpenteando alrededor de la montaña, la brisa fresca me despertaba, hasta que el sol estaba a punto de salir sobre el horizonte. Paré a un lado del camino justo a tiempo para ver los primeros rayos del sol alumbrando la cima de la montaña. Fue algo increíble. Tomé mi Biblia y mi Libro de Oración Común. Caminé un poco hasta llegar al mirador y me senté.

Contemplé la ciudad. Esa vista – la yuxtaposición de la naturaleza con la silueta de la ciudad, iluminada por un día fantásticamente claro – ha sido uno de los paisajes más increíbles que he visto.

La creación de Dios. La ciudad de Dios.

La presencia de Dios – tan real,

Y yo tenía mi propio papel a realizar.

Vine a orar.

Pocos de nuestros momentos de oración son tan dramáticos. Quizás los momentos suyos suceden cuando están sentados en un sofá reclinable en la sala, en la mesa de la cocina mientras toman una taza de café, a la hora de dormir o durante un descanso en el trabajo. Algunos de ellos son inolvidables. Algunos son fáciles de olvidar. Pero cada uno de ellos es realmente importante.

Muy pocas cosas he encontrado que puedan hacer mis devociones diarias más plenas y satisfactorias que el libro de oración. Es mi momento para conectarme con Dios.

Es mi momento para poner en orden mis prioridades y centrarme. Es mi tiempo sagrado cuando me uno a millones de cristianos alrededor del mundo para compartir estos momentos de divina meditación.

Muchos episcopales comenzamos el día utilizando la Liturgia de Oración Matutina que se encuentra en el Libro de Oración Común. Normalmente uso el Rito Dos. La oración matutina es dedicada a la lectura de la Biblia y la oración. Aunque a menudo utilizamos esta liturgia en la iglesia, haciéndole unos pocos cambios puede ser utilizada individualmente.

Libros digitales de Oración

Muchas personas encuentran fácil leer el libro de oración digitalmente, en una computadora personal, un Palm Pilot o cualquier otro instrumento electrónico. Estas son algunas fuentes de recursos gratuitas en el internet: http://palm.philippians-1-20.us http://justus.anglican.org/resources/bcp/formatted_1979.htm

He aquí una manera de hacerlo: Primero, encuentro un lugar silencioso donde pueda estar solo, o por lo menos no ser interrumpido por un período de tiempo. Muchas personas encienden velas o incienso y arreglan sus espacios de adoración de maneras apropiadas, lo cual es magnífico si es posible hacerlo. Otras personas salen afuera para estar rodeados por la naturaleza. La liturgia de la oración matutina funciona en cualquier lugar.

Tomará de diez minutos a una hora (o más) dependiendo de la escritura que se haya escogido; alguna otra lectura y el tiempo que se utilice en oración. El trabajo del Libro de Oración Común es proporcionar una estructura para nuestro tiempo de adoración. Está bien incluir otras lecturas, meditaciones y canciones. Así como excluir algunas otras cosas. Lo principal es enfocar nuestros corazones y mentes en Cristo.

Una vez todo preparado, la Oración Matutina Diaria comienza en la página 37.

(En éste momento sería buena idea que tomara su Libro de Oración Común para continuar juntos.)

Comenzamos con una oración de Apertura. Esta oración refleja la estación particular del año cristiano. Esto nos ayuda a sosegar nuestras almas y a concentrarnos en el momento. Salten hasta la página 41 para la confesión y luego continúen con el salterio que se encuentra en la siguiente página.

Después de leer una oración apropiada, se nos invita a decir o cantar una de las tres oraciones antiguas que se encuentran en las páginas 45 y 46. Estos son himnos realmente muy viejos que han conservado sus títulos en latín. Venite significa 'vengan,' Jubilate significa 'estén llenos de gozo,' y Pascha Nostrum significa 'Cristo nuestra Pascua.'

Después de estos himnos, se puede leer o cantar el salmo o los salmos designados.

Después de los salmos se leen las lecturas del día.

Encontrar las lecturas puede ser un poco difícil.

Las mismas están incluidas en el Leccionario del Oficio Diario que se encuentra en la página 822.

Al principio puede ser difícil de entender, pero con tiempo y práctica se hace más fácil.

El estar un poco familiarizado con el calendario anual de la iglesia es de gran ayuda (Ver la página 782).

Una forma de encontrar la semana correcta es ver el boletín dominical de la iglesia – muchas parroquias imprimen la semana correspondiente en la portada del mismo.

Un místico anglicano escribió una vez lo siguiente, "La lectura espiritual es, o por lo menos puede ser, secundaria solamente a la oración como agente de desarrollo y apoyo para la vida interior."5

Después de leer las Escrituras designadas para el día es apropiado leer algo como por ejemplo un comentario bíblico u otro libro.

Después de las lecturas, se cantan las canciones de los santos, que se denominan como cánticos. En la página 47 encontramos el Cántico número 1. Los cánticos del 1 al 7 están en las páginas del 47 al 54. Uno o más de estos puede decirse o cantarse como parte del oficio. Pero no es necesario.

Es aquí exactamente en donde nuestra liturgia toma una dirección muy distinta. Pasamos de leer la Biblia a la oración. Esto comienza con el "Padre Nuestro" en la página 60. Después sigue las oraciones sugeridas, llamadas sufragios – el sufragio 'A' o 'B' pueden ser utilizados.

Le siguen las colectas apropiadas para el oficio. El Libro de Oración Común nos da la libertad de elegir uno o más o utilizar una propia.

La liturgia nos permite mucha flexibilidad al orar porque la oración personal es exactamente eso – personal.

Aunque las oraciones antiguas ciertamente son de ayuda, este no es siempre el caso. Siéntanse en libertad de crear o encontrar sus propias oraciones.

La oración matutina puede terminar en varias formas, con un cántico o un himno o con las palabras para concluir que se encuentran en la página 66.

El orar de acuerdo a una liturgia formal puede parecer extraño para quien lo hace por primera vez. Ciertamente lo fue para mí.

Sin embargo, un momento de silencio para orar, meditar y estudiar son a menudo las partes más satisfactorias de mi día. La mayoría de episcopales nos sentimos honrados y gozosos de saber que el Libro de Oración Común juega un papel tan importante en la formación de las almas cristianas.

Es una guía para nosotros en nuestro camino. Es una luz que alumbra nuestros pasos.

Le damos gracias a Dios por darnos tan buen mapa.

10. LAS RAICES

La cristiandad estaría en mucho mejor estado hoy si simplemente recordáramos leer el acta de la reunión previa.

John Krumm

Las raíces

Imaginen que acaban de trazar una línea horizontal en un pizarrón.

Dicha línea representa la edad del universo (desconocida, pero con billones de años de edad).

A través de los años muchas personas admirables han llamado a la Iglesia Anglicana o a la Episcopal su hogar, aquí está una lista de algunos de ellos:

Figuras Literarias y Artistas: Jane Austen, Charles Dickens, John Donne, T.S Elliot, Madeline L'Engle , C.S. Lewis, William Faulkner, Georgia O'Keefe, William Shakespeare, John Steinbeck, Harriet Beecher Stowe, Tennessee Williams

Políticos y Figuras Públicas: La Princesa Diana, La Reina Elizabeth, Winston Churchill, Madeline Albright, John Danforth, Eleanor Roosevelt, Fiorella La Guardia, Colin Powell, J.P. Morgan, los Mellons, los Vanderbilt's.

- Un cuarto de todos los presidentes estadounidenses han sido episcopales, más que de cualquier otra denominación. Incluyendo a George Washington, Thomas Jefferson, Franklin D. Roosevelt y George H W Bush.
- Tres cuartos de los signatarios de La Declaración de la Independencia eran laicos anglicanos.
- Casi una tercera parte de todos los miembros de la Corte Suprema de Justicia de los Estados Unidos han sido episcopales, más que de cualquier otra denominación, incluyendo a Thurgood Marshall, Sandra Day O'Connor y David Souter.
- Los episcopales ocuparon 42 asientos en el centésimo noveno congreso, casi 33 miembros más del número que les que correspondería basado en el porcentaje que representan entre la población estadounidense.[3]

La Salud y las Ciencias: Charles Darwin, Margaret Mead, Florence Nightingale, Jeanette Piccard.

El Mundo del Espectáculo: Natalie Cole, Judy Collins, Judy Garland, Charlie Chaplin, Bono, Rosanne Cash, Moby, Laurence Olivier, Sam Waterston, Fred Astaire, Robin Williams, Susan Sarandon, Courtney Cox-Arquette.

Luego tracen una línea vertical sobre la primera línea para mostrar la era en que aparecieron por primera vez los humanos (aproximadamente hace unos 1, 200,000 años).

Pongan otra marca en el lugar en donde aparecieron los humanos con cerebros del tamaño de los nuestros (aproximadamente hace 500,000 años).

Pongan otra marca en el lugar donde apareció la civilización (de 10,000 a 12,000 años atrás, después del derretimiento de las capas de hielo).

Finalmente pongan una marca donde Cristo apareció (hace 2,000 años)

Ahora demos un paso atrás y veamos què tan joven es la humanidad. Luego demos otro paso atrás y veamos en realidad que tan joven es el cristianismo. El Cristianismo es una de las religiones más jóvenes entre las grandes religiones del mundo. Solo el Islam tiene menos tiempo. Mientras que algunas religiones han prosperado, otras han desaparecido. Un historiador señala que el Budismo y el Confucianismo han disminuido en los últimos 500 años mientras que el Islam va en aumento.

El Cristianismo está en pleno apogeo de popularidad. "A pesar de tener muchos adversarios y estar experimentando graves pérdidas... [El cristianismo] se ha arraigado más profundamente entre más pueblos de lo que el mismo cristianismo y cualquier otra fe lo han estado en el pasado. Así mismo, éste tiene una mayor influencia en los asuntos humanos que cualquier otro sistema religioso conocido por la humanidad."1

A diario miles de personas alrededor del mundo son bautizadas y se establecen cientos de iglesias nuevas. En los Estados Unidos, se forma una iglesia cada dos horas.2 El cristianismo está arrasando en muchas partes de África, Asia y Latino América. Una tercera parte del mundo profesa el cristianismo.

Y aún a pesar de este crecimiento algunas personas predicen que eventualmente el cristianismo desaparecerá. Señalan el declive en la asistencia a la iglesia en Europa y el aumento del ateísmo (en la actualidad, "no tener religión" es la cuarta "religión" más grande.)

Pero sin importar en dónde se encuentre el cristianismo o hacia dónde va, el Nuevo Testamento parece tener claro el propósito del Señor para el mundo. La Biblia nos dice que Dios ha puesto un plan en marcha para toda la creación, plan que tuvo un comienzo y tendrá un fin.

Muchas personas admirables han llamado a la Iglesia Anglicana o a la Episcopal su hogar a través de los años. Aquí incluimos una lista de algunos de ellos:

Los cristianos a menudo usan la palabra griega telos, la cual significa meta u objetivo. La historia cristiana nos dice que toda la creación se encuentra en una trayectoria y tiene un propósito particular, significado y telos.

Al escribir a los cristianos en Efesios en el primer siglo, San Pablo explicó que Jesús tiene un papel integral en ese plan. Pablo dice que Dios esperó hasta el final del tiempo para enviar a Su Hijo, "de acuerdo con el plan eterno" que Dios estableció (Efesios 3:11). Pablo propone que tal como existe un mundo así también existe un Dios y este Dios tiene un plan. El cristianismo puede deambular en vaivenes durante miles de años. Pero eventualmente Dios traerá a su culminación 'todo lo visible e invisible' a través de Cristo.

Los Cristianos creemos que toda la historia tiene un raciocinio divino - existe una razón para todo. En algún lugar de esa línea cronológica horizontal dibujada en el pizarrón se encuentran ligadas nuestras vidas.

Tenemos nuestro propio lugar en la historia. Tenemos nuestro propio llamado y misión. Tenemos nuestra propia manera de ser cristianos en este nuevo milenio.

Y la manera en que vivamos en el futuro se beneficia ilimitadamente de lo que hemos aprendido en el pasado. Los episcopales valoramos y adoramos nuestro patrimonio. Somos herederos de una historia increíble que se nos ha entregado en una forma muy distintiva - y nos damos cuenta que para apreciar completamente lo nuevo tenemos que comprender lo viejo.

O en este caso, lo antiguo.

El Comienzo

Una de las preguntas más comunes que se nos hace a los episcopales es, '¿Quién fundó su iglesia'? 'La mayoría de personas piensan que fue Enrique VIII.

Algunas personas piensan que fue Isabel I.

¿Qué significado tiene un nombre?

Los siguientes son algunos nombres comunes que todos hemos escuchado antes pero de los cuales probablemente no conocemos sus orígenes cristianos celtas.

San Aidan – Monje irlandés del siglo VII quien fue enviado desde Iona, Escocia, y quien evangelizó con éxito Northumbria y organizó su misión en Lisdesfarne.

San Alban – Fue un soldado romano converso, quien en el siglo IV se convirtió en el primer mártir de Inglaterra, prefiriendo morir antes de entregar a un amigo a sus acusadores.

Santa Brígida – Monja irlandesa del siglo V, conocida por su belleza, fue convertida al cristianismo por San Patricio y viajó mucho a través del país evangelizando.

San Chad – Monje Inglés del siglo VII quien llegó a ser Obispo de York, obteniendo una reputación de humildad y devoción.

San Columba – Monje irlandés del siglo VI quien era hijo de la realeza y quien sirvió como predicador ambulante a través de Irlanda y Escocia.

San David – Del siglo VI, hijo de un rey galés y quien llegó a ser la cabeza de la Iglesia de Gales, estableció monasterios y convirtió a paganos.

Santa Hilda – Una abadesa (Líder de un monasterio) inglesa del siglo VII, en cuyo monasterio se llevó a cabo el Sínodo de Whitby, durante el cual se tomó una decisión importante sobre la dirección de la iglesia de Inglaterra' (ver la página 114)

San Patricio – Patricio no era en realidad irlandés sino inglés (lo cual no le gusta escuchar a ningún irlandés en el día de San Patricio). Viajó a Irlanda en el siglo IV y desde ahí evangelizó al país, libró la isla de serpientes y se convirtió en su santo patrón.

Pero todos sabemos que fue Jesucristo.

La Iglesia Episcopal no tiene credos o creencias propias. Todo lo hemos heredado de los primeros tiempos del cristianismo. Simplemente somos una (de muchas) tradiciones dentro de la religión cristiana.

Sin embargo, nuestro camino ciertamente ha estado lleno de intriga y drama.

Muchos personajes han desempeñado sus papeles en diferentes circunstancias históricas. Desde el tiempo de los apóstoles quienes fueron ordenados por Jesús mismo, el desarrollo de nuestra Iglesia ha sido continuo, sin sufrir cambios fundamentales en la fe y el orden. El Nuevo Testamento nos dice que siguiendo la vida, la muerte y la resurrección de Jesús, el cristianismo se esparció a través del Medio Oriente y en los países alrededor del Mar Mediterráneo.

Los mercaderes y los soldados romanos fueron probablemente los primeros en haber traído el Evangelio a las costas de Gran Bretaña, pero exactamente cuándo y cómo nadie sabe. Fuentes que no pueden autenticarse nos cuentan el relato fantástico de José de Aritmatea, un hombre mencionado en el Nuevo Testamento quien donó su tumba para el entierro de Cristo. La leyenda de Pio retoma el relato desde ese punto - José supuestamente también se había apoderado del 'Santo Grial,' el cáliz utilizado en la Ultima Cena, y habría llegado a Glastonbury, Inglaterra. Y aunque los historiadores pueden verificar muy poco o nada de esto, ciertamente ha ayudado a vender muchos libros de leyendas del Rey Arturo y 'Los Caballeros de la Mesa Redonda', DVDs de Monty Phyton, al igual que subscripciones para membrecía en la Cámara de Comercio de Glastonbury. Un escritor del Norte de África de nombre Tertuliano escribió exhaustivamente sobre el comienzo del cristianismo y es el primero en mencionar la existencia de los cristianos en Inglaterra. En el año 200 AD, relata de partes de Bretaña que eran inaccesibles

El punto en el medio a la izquierda, marca el aparecimiento de Cristo. A medida que nos movemos a la derecha podemos ver, señalado con los años en la parte inferior, exactamente la manera en que la iglesia ha evolucionado. Una cosa que resulta bastante clara es que toda iglesia que ha existido ha participado en algún tipo de división. Ninguna iglesia es indivisible. Ninguna iglesia puede decir que es pura y auténtica. Sí, todos somos culpables de quebrantar la unidad entre nosotros. Y todos compartimos la convicción de que la Iglesia verdadera de Cristo no es una creación humana sino una creación de Dios.4

para los romanos pero que a pesar de esto habían sido "conquistadas por Cristo."5 Cien años después nos llega la historia de San Albán , el primer mártir de Inglaterra. Él era un ciudadano romano pagano del siglo III quien vivía en Gran Bretaña y quien dio refugio a un sacerdote cristiano quien

¿De dónde provienen todas estas iglesias?

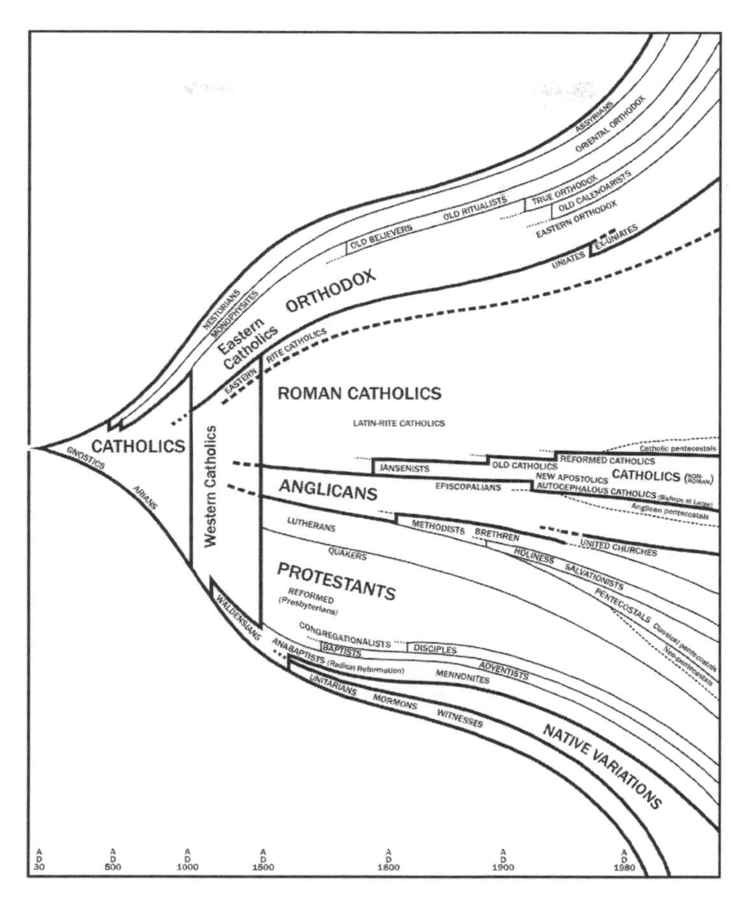

El punto en el medio a la izquierda, marca el aparecimiento de Cristo. A medida que nos movemos a la derecha podemos ver, señalado con los años en la parte inferior, exactamente la manera en que la iglesia ha evolucionado. Una cosa que resulta bastante clara es que toda iglesia que ha existido ha participado en algún tipo de división. Ninguna iglesia es indivisible. Ninguna iglesia puede decir que es pura y auténtica. Sí, todos somos culpables de quebrantar la unidad entre nosotros. Y todos compartimos la convicción de que la Iglesia verdadera de Cristo no es huía de soldados que lo perseguían a causa de su fe. Desarrollaron una amistad, y a través de la enseñanza del sacerdote, se convirtió al cristianismo . Poco tiempo después los soldados llegaron a la casa de Albán para arrestar al sacerdote. Pero Albán se puso las vestimentas sacerdotales

Fue durante el tercer siglo que el cristianismo empezó a organizarse en Inglaterra. Los historiadores nos relatan sobre tres obispos ingleses, los cuales representaban a diferentes diócesis y quienes estuvieron presentes en el Consejo de Arles en Francia en el año 304 AD.

Casi un siglo después, en el año 401 AD, las legiones romanas se retiraron de Inglaterra y Bárbaros Anglo Sajones de Alemania comenzaron invasiones esporádicas. Durante los siguientes cien años sus guerras con los ciudadanos británicos y los Celtas hicieron que muchos cristianos abandonaran el lugar. Algunos fueron al oeste, al país de Gales y a Irlanda. Algunos fueron al norte, a Escocia. Finalmente, en el siglo VI, cuando las guerras con los reinos tribales de Gran Bretaña disminuyeron, comenzó la re-evangelización de Inglaterra.

Esta tomó dos formas distintas.

San Columba emprendió una forma de cristianismo celta desde Irlanda, la cual trajo consigo a través del Mar Irlandés hasta Iona, Escocia.

En el año 597 EC, una segunda misión, esta vez católica romana, fue establecida en el sur en Canterbury y dirigida por Agustín (que no debe confundirse con el aún más famoso Agustín de Hipona, quien vivió unos pocos siglos antes) después de que el Papa Gregorio enviara a un pequeño grupo de monjes de Roma.

Una gran parte del país aceptó estas misiones porque cuando Columba y Agustín llegaron, el cristianismo en Gran Bretaña tenía por lo menos 400 años. Inglaterra se cristianizó más extensa y formalmente que nunca antes, aunque hasta cierto punto dividida entre celtas en el norte y romanos en el sur. Entre sus diferencias se encontraban diferentes fechas para celebrar la Pascua y los cortes de cabello del clero (no estoy inventándome esto). Las tensiones llegaron a un punto crucial a la mitad del siglo VII cuando el rey de Northumbria se dio cuenta que él y su esposa estarían celebrando la Pascua en distintas fechas.

El practicaba la tradición celta. Ella practicaba la tradición romana. Ya su paciencia se había colmado.

Era el momento para que todos se pusieran de acuerdo.

El Rey convocó una reunión histórica a la que se llamó 'El Sínodo de Whitby.' En esta reunión se decidiría cual sería la tradición de cristianismo a seguirse en Inglaterra, la celta o la romana. Después de escuchar los argumentos de ambos lados, el Rey Oswiu de Northumbria dio su veredicto a favor de Roma.

Concluyó que éste era el camino que el resto del mundo estaba siguiendo y así también lo haría Gran Bretaña. "La Iglesia de Inglaterra [había ahora] creado lazos de sangre con la Iglesia Católica y podía entonces desempeñar su papel completo en la vida de la Cristiandad."6

Sin embargo, esta decisión no puso fin al cristianismo celta. Todavía existe hoy. Sus liturgias, tradiciones, monasterios, abadías y santos inspiran nuestra adoración y formación en maneras maravillosas que continuamente estamos redescubriendo.

La Reforma

Con el pasar del tiempo, los obispos de Inglaterra gradualmente encontraron un hogar y aceptación en la Iglesia de Roma. Sin embargo esta reconciliación no perduraría a través de la Edad Media.

La Iglesia Católica Romana comenzaba a experimentar un desafortunado y triste período de corrupción. Un sinnúmero de historias del clero, de Papas y de monjes inescrupulosos enfurecían a los cristianos en toda Europa. Y con esta voz de protesta el siglo XV comenzó a sentir los dolores de parto de la rebelión religiosa y la reforma. . Inglaterra no se quedó atrás. Al centro de todo este drama se encuentra una de las figuras más singulares de la historia, el Rey Enrique VIII.

El joven Enrique nunca planeó reinar Inglaterra. Era el segundo hijo de un padre que tenía la esperanza de que Enrique se convirtiera en un clérigo.

Y entonces, el hermano mayor de Enrique murió.

Y los planes del padre de Enrique cambiaron, en gran manera. Enrique tomaría el trono de su hermano. Enrique tomaría como suya a la esposa española de su hermano, Catalina de Aragón.

Todo esto sucedió antes de que cumpliera diecisiete años de edad.

Con una personalidad carismática, buenos rasgos físicos, habilidades atléticas, inteligencia, riquezas y astucia política; Enrique era el supremo soberano.

Solamente su ego era más grande que su ambición.

Tenía obsesión por la limpieza, el buen vestir, la puntualidad y el orden. Fue el primer monarca inglés quien exigió que se le llamara 'Su majestad'.

Como otros soberanos de su tiempo, Enrique contrajo matrimonio para conseguir poderío político y procrear, y mantuvo amantes solo por placer.

Enrique VIII era un hombre emprendedor.

Tenía pasión por la construcción de edificios magníficos y se involucró en la construcción de La Capilla de King's College en Cambridge y de la Abadía de Westminster en Londres.

Enrique y Sus Esposas

La Iglesia de Inglaterra ha tenido sus momentos singulares. Enrique VIII quien aparece aquí con sus seis esposas. Los niños de edad escolar recuerdan la suerte de cada una de ellas con esta rima infantil: Divorciada, decapitada, murió. Divorciada, decapitada, sobrevivió.

También fue uno de los más grandes protectores de las artes. Sin embargo su sed por el poder y su deseo por conservarlo, llegaron a su máximo punto de dificultad en 1527. Enrique había estado casado con Catalina por dieciocho años y debido a abortos no provocados y muertes infantiles no contaba con ningún heredero.Enrique comenzó a creer que había sido maldecido por haberse casado con la esposa de su hermano (para lo que requirió de una dispensa papal). También se había enamorado de la astuta Anne Boleyn, quien era parte del cortejo de la Reina.

Y aunque el matrimonio de Enrique con Catalina le había dado una hija, él sabía que una mujer nunca había reinado Inglaterra con éxito.

Enrique apeló ante el Papa para que se le otorgara una anulación.

Normalmente esto era un ***fait accompli*** para personas de la talla de Enrique. Sin embargo, el Papa prolongó el proceso de anulación porque no quería ofender al tío de Catalina, el Rey de España, quien era un poderoso soberano en aquel tiempo y quien tenía la capacidad de causarle mucho daño. Después de esperar por cuatro años, Enrique estaba harto de la situación.

Ya había hecho planes para redefinir su relación con Roma. En corto tiempo el parlamento declaró a Enrique como la Cabeza Suprema de la Iglesia y del Estado.

Y no todos pensaron que esta era una mala idea. Muchos recordaban que Roma no siempre había llevado las riendas de su iglesia. De hecho, desde el siglo XI con la llegada de Guillermo el Conquistador, la Iglesia de Inglaterra había entrado esporádicamente en conflicto con el Papa. A consecuencia de esto, algunos vieron este acto como un retorno al verdadero patrimonio de la Iglesia de Inglaterra – era un abandono total a lo establecido durante el Sínodo de Whitby.

Las acciones de Enrique resultaron en que la enorme riqueza en propiedades que pertenecían a la Iglesia Católica Romana eran ahora suyas. Ahora, las colectas dominicales estaban bajo su poder. Trágicamente, Enrique ordenó la destrucción de monasterios antiguos y repartió propiedades de la iglesia entre sus amigos.

Ahora Enrique podía divorciarse y volver a casarse sin el permiso del Papa, y así lo hizo, seis veces en total. Enrique continúo transformando a

Inglaterra en un poder mundial. El "comenzó a reinar en una monarquía medieval y terminó su reino en un estado moderno."[7]

Mientras que comúnmente se cree que Enrique VIII estableció la Iglesia de Inglaterra, a los episcopales no nos gusta escuchar esto. Claro, esto es históricamente incorrecto. Pero también da la falsa impresión de que Enrique creó la Iglesia de Inglaterra sencillamente para satisfacer sus propios intereses, estilo de vida y su gran anhelo por el poder.

El hecho es que Enrique nunca cambió la doctrina y práctica fundamental de la Iglesia de Roma. Los feligreses ingleses comunes no vieron ninguna diferencia bajo el reinado de Enrique. La misa todavía se llevaba a cabo en latín y todavía existían los siete sacramentos. Enrique creía en el celibato para los sacerdotes, la transubstanciación de la Eucaristía y la reverencia a las estatuas e íconos. El vivió y murió como un católico devoto.

La verdadera reforma de la Iglesia de Inglaterra vendría de las poderosas influencias protestantes en el continente y de los monarcas posteriores, especialmente la segunda hija de Enrique. Isabel I.

Nuevas fronteras

Isabel. ¡Qué mujer!

Como he mencionado, Isabel es la persona a quien se le debe la forma que tomó la iglesia de Inglaterra y también por herencia la Iglesia Episcopal.

Durante su reinado:

Un compromiso o 'vía media' se formó entre católicos y protestantes (véase la página 58)

Richard Hooker, el teólogo más venerado en la Iglesia Anglicana, definió los límites entre anglicanos y puritanos - un hecho que aún hoy es de importancia para nosotros, especialmente en nuestras conversaciones con fundamentalistas.

Se publicó el popular Libro de Oración Común en 1559.

En 1570, el Papa oficialmente ex comunicó a la Iglesia de Inglaterra.

No estamos muy contentos acerca de este último suceso.

Es cierto, Enrique provocó al Papa al declararse a sí mismo como la cabeza de la Iglesia de Inglaterra, pero él nunca quiso romper la comunión.

Actualmente este rompimiento significa que aunque los Católicos Romanos son bienvenidos a tomar comunión en las Iglesias Episcopales, oficialmente los episcopales no reciben la misma invitación en las Iglesias Católicas Romanas.

Es una ruptura de la cual ambos lados comparten la responsabilidad. Muchos católicos y anglicanos oran diariamente por el restablecimiento de la comunión y nuestra eventual reunificación.

Fue también durante el reinado de Isabel que los exploradores ingleses comenzaron sus travesías al Nuevo Mundo.

En 1579 en las orillas de la Bahía Golden Gate en San Francisco, un capellán a bordo del buque insignia del explorador Sir Francis Drake, celebró la primera eucaristía utilizando el Libro de Oración Común en tierra norteamericana. Había entonces comenzado la apropiación de tierras por parte de los principales poderes europeos. Exploradores de países y tradiciones religiosas distintas comenzaron a proclamar sus derechos de posesión. Los puritanos se apoderaron de Nueva Inglaterra. Los católicos tenían la Florida y a Maryland. Los bautistas tenían a Rhode Island. Los cuáqueros tenían a Pennsylvania y a Nueva Jersey, los luteranos suecos tenían a Delaware. Los holandeses reformados tenían a Nueva York. Y la Iglesia de Inglaterra había reclamado como suya a Virginia, las Carolinas y a Georgia.

Poco tiempo después de haber terminado el reinado de Isabel, Inglaterra estableció su primer asentamiento aquí en Norte América. Y fue en Virginia, nombre que se le dio en honor a Isabel, a quien también se le conocía como la Reina 'Virgen'. Allí, en Jamestown en 1607, el Reverendo Robert Hunt fundó la primera parroquia de la Iglesia de Inglaterra. La Parroquia Bruton en Williamsburg, Virginia es descendiente directa de esta iglesia y puede ser visitada en la actualidad. Desde ahí la Iglesia de Inglaterra comenzó a esparcirse hasta llegar a Maryland y prácticamente a todas las ciudades principales a lo largo de la costa. La iglesia tenía sus enemigos porque también representaba la presencia de la monarquía. Este fue el obstáculo principal a su crecimiento porque muchas personas habían venido a América para escapar de la persecución religiosa.

Pero el progreso de la Iglesia también se dificultó debido a que no teníamos ningún obispo. El Obispo de Londres, quien nunca había puesto un pie en el Nuevo Mundo, gobernaba a la iglesia desde lejos. Y aún peor, la Iglesia no permitía que los norteamericanos consagraran a su propio obispo. Esto significó que nadie estaba siendo confirmado y cualquier persona que quería ser ordenada tenía que hacer el largo y peligroso viaje de regreso a Inglaterra. En el siglo XVIII, uno de cada cinco candidatos a la ordenación perdía la vida durante estos viajes trasatlánticos.

Cuando veo a estos devotos miembros del clero quienes enfrentaron estas difíciles condiciones para dar firmeza a una iglesia que avanzaba con muchas dificultades, me colmo de emoción. Ellos tomaron los mismos votos. Hicieron las mismas oraciones. Muchos de ellos sacrificaron sus vidas para que nosotros pudiéramos seguir llevando a cabo la incesante obra del Señor. Hace cuatro siglos las cosas eran duras para mi Iglesia.

Pero estos hombres y mujeres no se rindieron. Dios no se rindió. Había que crear una iglesia nueva en tierra nueva. Nuestra fe histórica había ya sobrevivido increíbles enredos, giros, cambios y reformas.

Y estaba una vez más en proceso de renacimiento.

11. ENSEÑANDO EL CAMINO

"Lo importante es:
Ser capaces en cualquier momento de sacrificar lo que somos
por lo que podemos llegar a ser."

Charles Dubois

Enseñando el Camino

Una noche me encontraba trabajando como capellán en un retiro de jóvenes cuando una jovencita llamada Diana me preguntó si podíamos hablar. Se encontraba muy afectada. Me empezó a contar sobre un buen amigo que tenía. Le conocía de años pero ahora quería terminar con la amistad. El había empezado a hacer algo que ella desaprobaba de gran manera. Y estaba convencida que su amigo estaba destruyendo su vida – y que iba a destruir la vida de muchos otros.

Quería saber si había alguna manera de que pudieran continuar con su amistad. Yo recuerdo que le dije que todo dependía de lo que él estaba haciendo... porque yo empecé a imaginarme – heroína, un aborto, la matanza de Columbine... y ella volteó a ver para asegurarse que nadie la escuchara. Y lentamente se volteó hacia mí, se acercó y en voz baja me dijo, "¡Tiene una lata de tabaco para masticar!"

Traté de mantener la compostura.

Respiré profundamente y empezamos a conversar sobre las fases que pasamos mientras crecemos. Nos gustan ciertos juguetes, nos gusta cierta música y hacemos ciertas cosas que en ese momento son de gran importancia para nosotros. Pero a medida que crecemos la mayoría de estas cosas cambian. Diana y yo platicamos sobre la perspectiva. Diana y yo hablamos sobre la perspectiva que personas mayores pueden darnos, como nuestros padres y abuelos que casi seguro le dirían que la decisión de su amigo de masticar tabaco es una fase pasajera.

Nuestros padres y nuestros predecesores nos ayudan en el recorrido. Ellos cuentan con una perspectiva más amplia. Ya han pasado por esto. Ya conocen el camino.

Es por esto que la historia es tan importante para nosotros. Las vidas y las historias de aquellos que han vivido antes continúan enseñándonos e inspirándonos.

Los episcopales somos herederos de una tradición específica que ha sido moldeada por generaciones de personas que han pasado sus vidas enfrentando muchas de las mismas cosas que nosotros ahora enfrentamos. La historia del establecimiento y el crecimiento de nuestra iglesia en Norte América es tal historia. Esta historia, escrita y hablada, nos proporciona las herramientas – ayudándonos a abrir nuestros caminos vanguardistas hacia este nuevo milenio.

Renacer

Durante la Revolución Estadounidense, la Iglesia Episcopal se encontraba también en la misma situación de inseguridad que el resto del país. La mayoría de nuestro clero del sur permaneció leal a Inglaterra. La mayoría del clero del norte tomó partida con los nuevos norteamericanos. Los partidarios del norte se iban de regreso a Inglaterra o emigraban al Canadá.

El clero que se quedó enfrentó una oposición dura de parte de las personas que sospechaban de ellos debido a la alianza histórica con la Iglesia de Inglaterra.

El salario del clero, el cual era enviado desde Inglaterra, dejó de llegar. En cada estado, a excepción de Connecticut, la escasez de clérigos y feligreses significó que la mayoría de las parroquias habían cerrado o se encontraban drásticamente sin quién las atendiera. El futuro de la Iglesia Episcopal se veía poco prometedor aunque la mayoría de los que firmaron la Declaración de Independencia eran miembros de la Iglesia.

La estabilidad en Connecticut jugó un papel crucial en el renacimiento de la Iglesia. Siete años después de la Revolución Estadounidense, las parroquias de Connecticut eligieron a Samuel Seabury como su obispo. Con la esperanza de que los sentimientos de preocupación por la guerra hubieran terminado, Seabury se embarcó hacia Inglaterra para ser consagrado. Para consagrar a un obispo se necesita de la imposición de manos de tres obispos, y en Norteamérica no había ninguno. Pero una vez en Inglaterra, Seabury descubrió que no podía aceptar la consagración. Ya que esto significaba que hubiese tenido que jurar alianza al Rey. Con gran frustración, Seabury se dirigió al norte, hacia Escocia donde había estudiado medicina. Y en Aberdeen, Escocia, el 14 de noviembre de 1784, tres obispos escoceses episcopales impusieron sus manos sobre Seabury y le consagraron como primer Obispo de la Iglesia Episcopal.

Unos años después, tras algunos cambios políticos en Inglaterra, otros dos estadounidenses, William White y Samuel Provoost, fueron consagrados obispos en Londres. Y ahora la Iglesia Episcopal contaba con tres obispos, suficientes para seguir adelante por su propia cuenta. En 1789 se llevó a cabo nuestra primera Convención General, la adopción de una nueva constitución, de un nuevo libro de oración común y de un nuevo nombre. La Iglesia fue llamada La Iglesia Episcopal Protestante en América. Estos cambios no iniciaron una nueva tradición sino continuaron con lo que había sido legado en un contexto novedoso de una nación independiente. No cambiamos ninguna parte esencial de nuestra herencia, doctrina, disciplina o adoración.

Ahora la Iglesia estaba lista para crecer.

Pioneros

Nuestro crecimiento no vino de manera fácil o inmediata.

De la misma manera que la Iglesia de Inglaterra, muchas de nuestras parroquias enfrentaron una amenaza paralizante llamada Deísmo. Este entendimiento popular, pinta a Dios como un observador distante que puso al mundo en movimiento pero tenía muy poco interés en intervenir en los asuntos de la humanidad. La ley moral divina y el comportamiento moral se encontraban al centro así como la creencia en Dios basada en la naturaleza y la razón más que en la revelación a través de la Santa Escritura.

Debido a la popularidad del Deísmo, la Iglesia Episcopal carecía del fervor misionero de los ministros metodistas y bautistas. Grandes cantidades de ellos se dirigían a los Confines del Lejano Oeste. Con poco más que un caballo, una mochila y una Biblia, realizaban reuniones en carpas e iglesias en casi todos los confines de la tierra. Después de la revolución, esta clase de evangelismo estuvo ausente de nuestra iglesia durante una generación completa.

Mis amigos hacían chistes al respecto – diciendo que la Iglesia Episcopal esperó a que llegaran los trenes.

Por supuesto que esto no es del todo cierto. Con el tiempo, misioneros pioneros y devotos como los Obispos Kemper y Griswold de Nueva Inglaterra, los Obispos Moore y Meade de Virginia, y particularmente el Obispo Hobart de Nueva York entraron en acción. Trabajaron tenazmente para ocuparse del crecimiento y la necesidad increíble que les rodeaba.

El Obispo John Hobart fue el obispo líder pionero.

Era un hombre de baja estatura con anteojos y que sufría de una persistente úlcera. Sin embargo, era una persona incansable. Era un predicador inteligente y dulce con el corazón de un pastor.

Después de su ordenación como obispo en 1811 a los 36 años de edad, no dudó en viajar 2,000 millas en caballo para realizar sus visitas de invierno. En el verano, usualmente registraba 4,000 millas. Fundó el Hobart College en Ginebra, Nueva York y el General Theological Seminary en la ciudad de Nueva York.

Obispo John Henry Hobart

Además de su ministerio incansable con las parroquias episcopales, el Obispo Hobart apoyaba fuertemente el trabajo entre los indios Oneida.

Durante su carrera de 19 años el número de parroquias en su diócesis creció de cincuenta a casi ciento setenta. El número del clero creció de veintiséis a ciento treinta y tres. Cuando el Obispo Hobart falleció a la edad de 55 años era una de las figuras más queridas en Nueva York. Algunas personas pensaban que podía haber sido electo como gobernador, aunque otras personas se preguntaban cómo era que esta persona adicta al trabajo no había muerto antes.

Sin embargo, las influencias más formativas en nuestra iglesia no vinieron de ninguna personalidad o evento. Las mismas surgieron de dos movimientos en evolución que continúan moldeándonos en el día de hoy: El Movimiento Evangélico y el Movimiento Anglo-Católico. Los mismos se desarrollaron con casi un siglo de por medio, pero sus convicciones y características nos ayudan a entender cómo el Señor continúa formando a los episcopales en la actualidad.

William Wilberforce
(1759-1883)

El evangélico William Wilberforce dirigió una campaña para terminar con la esclavitud en Gran Bretaña. Inspirado por su conversión en 1789 se convirtió en la voz abolicionista líder en el Parlamento. El creía que la esclavitud era un pecado y a menudo citaba las Escrituras e ideas bíblicas sobre la justicia en sus discursos. Se le recuerda como uno de los grandes reformadores sociales de Gran Bretaña.

Los Evangélicos

Cualquier persona que se haya ido lejos a la Universidad sabe que esta es una experiencia que cambia su vida.

Este fue el caso de dos jóvenes hermanos de una pequeña ciudad de Inglaterra que se fueron lejos a la Universidad de Oxford al principio del siglo XVIII.

John y Charles Wesley eran los hijos de un sacerdote anglicano.

Fueron criados en un hogar piadoso, devoto a la oración y a ayudar al pobre. Con una madurez más allá de su edad tomaban su religión muy seriamente.

Cuando llegaron a Oxford los Wesleys se rodearon de cristianos que pensaban igual que ellos. Fundaron el 'Club Sagrado.' Se les conocía por su piedad y devoción estricta. A los miembros del club también se les conocía por su 'método' particular de estudiar la Biblia (posteriormente sus seguidores serían conocidos como Metodistas).

Después de la Universidad, en 1728, John Wesley se convirtió en sacerdote de la Iglesia de Inglaterra mientras Charles se enfocó en escribir música de iglesia.

Charles compuso no menos que 6,000 himnos, incluyendo '¡Escuchad, al Heraldo de Angeles Cantar!' Muchas personas opinan que él fue el mejor escritor de himnos de todos los tiempos.

A lo largo de sus ministerios, los Wesleys experimentaron separadamente etapas profundas de conversión, que los llevó a orar más, ser más generosos y predicar el Evangelio en donde pudieran.

Pronto se unirían al gran sacerdote anglicano, George Whitefiel, gran evangelista y dirigente de los llamados avivamientos. Los tres pasaron varios años en Georgia. Desempeñaron papeles significativos en el movimiento conocido como el 'Gran Despertar.' Predicaban sermones emotivos acerca de la perversión de la humanidad y del poder salvador de la cruz. Los Wesleys ayudaron a impulsar una ola de fervor evangélico, una influencia que se sintió alrededor de Los Estados Unidos. Los Wesleys veían a su 'Metodismo' como un movimiento de renovación dentro de los límites de la Iglesia de Inglaterra. Sin embargo, el liderazgo anglicano posterior decidió romper los lazos.

John Henry Newman

Los episcopales le damos las gracias a Tractarianos como Newman por darle énfasis a las tradiciones que todavía permanecen con nosotros, como tomar la comunión semanalmente. Newman era un fuerte partidario de las prácticas católicas, hasta el punto de abandonar la Iglesia de Inglaterra después de 20 años de ministerio en ella. Se unió a la Iglesia Católica Romana en donde se distinguió como académico y donde obtuvo el título de 'Cardenal.'

Los Wesleys influenciaron de manera significativa tanto a la Iglesia de Inglaterra como a la Iglesia Episcopal. El Movimiento Evangélico que iniciaron estaba basado en devoción personal, alcance evangélico, énfasis en el pobre, la vastedad del amor de Dios, y la importancia de una experiencia adulta de conversión. Los hermanos Wesley ayudaron a despertar a una iglesia que se encontraba atascada en el Deísmo.

Nos ayudaron a regresar a un modelo del Nuevo Testamento de vitalidad y de enérgica expectativa del reino de Cristo. Su entendimiento honesto y simple del Evangelio continúa desafiándonos. Los episcopales evangélicos nos recuerdan la importancia del propósito y la misión personal. Nos inspiran con conversaciones nuevas sobre asuntos cruciales que confrontan a la Iglesia.

Los Anglo-Católicos

Pueden llamarle oposición. O pueden llamarle reacción.

Pero cien años después, un segundo movimiento de renovación se propagó a través de nuestra Iglesia. Este iba dirigido a la recuperación de la tradición, la historia, los Sacramentos y los símbolos de la Iglesia antigua.

El Movimiento Anglo-Católico (algunas veces llamado el Movimiento Oxford) también se inició en el campus de la Universidad Oxford y comenzó cuando varios académicos publicaron pequeños folletos o 'tratados.' Estos 'tractarianos' nos exhortaban a mirar atrás y recobrar las prácticas y tradiciones católicas previas a la Reforma de las cuales fuimos parte en algún momento.

Desde 1833 a 1841, distinguidos anglicanos como John Keble, Edward Pusey y John Henry Newman publicaron un total de noventa 'Tratados para la Epoca'. Muchos de ellos eran acerca de la Santa Eucaristía y urgían una revisión de su lugar en los servicios de la Iglesia. Los Tractarianos insistían en un rito formal y hasta más elaborado. Nos recordaban de la importancia de nuestros símbolos cristianos - las velas del altar, el incienso, las vestimentas y los linos eucarísticos. Enfatizaban el papel del misterio y la imaginación. Fomentaban el regreso de nuestra iglesia a un sentido de reverencia y santidad antiguo y olvidado.

El Movimiento Oxford se propagó en Los Estados Unidos al final del siglo y se hizo particularmente popular en muchas ciudades de la región central.

Sin embargo, no todos estuvieron a bordo. Los críticos llamaban a los Anglo-Católicos 'Papistas' y 'Romanistas.' Les culparon con descartar los principios primordiales de la Reforma.

A los anglo-católicos se les conoce por su trabajo para establecer nuevas relaciones con otros cristianos. Los episcopales anglo-católicos iniciaron conversaciones con católicos romanos, ortodoxos cristianos y protestantes. Y nació una búsqueda renovada de Cristo en el medio de todas las Iglesias de Cristo.

Los anglo-católicos también enfatizan la erudicción. Su trabajo académico ayudó a formar la estructura de los Libros de Oración Común de 1928 y 1979.

Y los anglo-católicos le dieron gran importancia a la presencia de Cristo en la comunidad congregada. Nos han dado un entendimiento nuevo de nuestra auténtica interdependencia.

En estos dos extensos movimientos, cóntinuamos viendo como el Espíritu Santo habla a través de todos nosotros – aún a través de aquellos con los que no estamos de acuerdo. Nos hemos beneficiado grandemente por los puntos de vista representados por los evangélicos, anglo-católicos y todos los que se encuentran en el medio. La Iglesia de Cristo acaso necesita de todos sus miembros. Como lo escribió San Pablo, "El ojo no puede decirle a la mano: "No te necesito"; ni la cabeza puede decirles a los pies: "No los necesito." (1 Corintios 12:21)

"Una Casa Nacional de Oración para toda Persona"

RMESKILL

La Catedral Nacional en Washington, D.C. personifica en ladrillos y morteros el profundo compromiso de la Iglesia Episcopal de trabajar por la unidad. La misma ha proporcionado el espacio para algunos de los eventos religiosos más importantes en la nación, como el Servicio de Oración Inaugural Presidencial y el Servicio Nacional de Oración y Conmemoración después del 11-S. Su belleza y su grandeza atraen cientos de miles de visitantes cada año. (www.nationalcathedral.org)

Unidos

A medida que la Iglesia Episcopal avanzó hacia el siglo XX, invertimos bastante tiempo y energía en el trabajo con otros cristianos. Realmente queríamos unir a las diferentes iglesias. Y todavía ese es nuestro deseo.

Los Anglicanos nos consideramos tanto católicos (ya que podemos rastrear nuestros orígenes a los primeros discípulos y atesorar nuestra historia sacramental) como reformados (ya que creemos en las convicciones formativas de los reformadores, especialmente la primacía de las Escrituras como la autoridad suprema al establecer la doctrina cristiana). Por lo tanto, siempre nos hemos sentido especialmente preparados para ser agentes de ayuda al diálogo entre los cristianos de las diferentes tradiciones.

En 1886, la Cámara de Obispos adoptó el Cuadrilátero Chicago-Lambeth. El mismo delineaba cuatro convicciones centrales (ver la página 771 del Libro de Oración Común).

El documento ayudó a traer a cristianos de diferentes tradiciones a nuevos niveles de confianza y de relaciones personales. El mismo desempeñó un papel importante en la fundación de la Catedral Nacional en Washington, D.C. a comienzos del siglo XX.

Nuestro trabajo por la búsqueda de la unidad ha continuado:

- En 1910, el Obispo Charles Brent dio los primeros pasos que nos llevaron a la fundación del Consejo Mundial de Iglesias.

- En 1927, la Iglesia Episcopal participó en la primera Conferencia de Fe y Orden Mundial en Lausana, Suiza. En 1962, la Consulta sobre la Unión de Iglesias fue establecida para traer aún mayor unidad entre las grandes iglesias protestantes en Norte América.

- En el 2000, los episcopales y los luteranos firmaron un acuerdo histórico. Aprobamos el 'Llamado a la Misión Común.' Ahora nuestro clero comparte ministerios como nunca antes.

- En el 2006, los episcopales se unieron a docenas de las iglesias más grandes del mundo para conformar Iglesias Cristianas Unidas (www.christianchurchestogether.org), la cual ha iniciado una campaña importante en contra de la pobreza.En la actualidad, la Iglesia Episcopal tiene comisiones que se encuentra en diálogo constante con presbiterianos, católicos romanos, pentecostales y otros. Por supuesto que no somos los únicos cristianos a los que les encantaría unir áun más cerca a las iglesias de Cristo.

Y nos hace feliz el ver que hay más personas intentándolo.

Jesús oró en una ocasión, "Te pido... por los que han de creer en mí al oír el mensaje de ellos, que todos ellos estén unidos." (San Juan 17:20-21)

¡Solo imagínense si esto fuera realidad!

Solo imagínense si fuéramos capaces en realidad de escuchar esta oración.

¿Cómo sería el mundo si todos los cristianos trabajáramos unidos?

La misma es una visión celestial que continua inspirándonos a los episcopales, y a muchos otros cristianos, para continuar incansablemente en la búsqueda del diálogo con aquellos con los que no estamos de acuerdo.

Es una obra vital dado el temperamento del mundo moderno. Y es la obra de Dios. Esto no es únicamente crucial para nosotros – es parte integral para alcanzar la paz y la seguridad del mundo – y para ayudar a las próximas generaciones a quienes estamos encargados de enseñarles el camino.

12. LOS PROFETAS

¿Aprendiendo del Pasado?

La Profecía, los episcopales y la Segunda Venida de Cristo

En los círculos cristianos, las palabras "profeta" y "profecía" evocan toda clase de imágenes. Muchos de nosotros nos imaginamos el regreso de Jesús montado en un caballo blanco, el Rapto o la batalla final sangrienta del Apocalipsis. Existe muchísima especulación.

Hay competencia de calcomanías para los parachoques de los autos como por ejemplo, ("¡En caso que ocurra el Rapto, este carro no tendrá conductor!" y "En caso que ocurra el Rapto a mi me toca tu carro").

Muchos episcopales creemos que el universo se encuentra en las manos de Dios y sea lo que sea que suceda lo esperamos con esperanza, valor y gozo.

Las siguientes son diez cosas que un joven seminarista piensa que debemos hacer para estar preparados para el día final:

- Sean peregrinos. No se necesita ir a Canterbury o Compostela. Escojan un destino que tenga significado especial para ustedes, recórranlo meditativamente y estén abiertos a cualquier sorpresa que se les presente en el camino.
- Presupuesto. O más bien, haga su presupuesto con la perspectiva de alcanzar las Metas de Desarrollo del Milenio de las Naciones Unidas. Comprometa un 7% de sus ingresos para lograr alcanzar las MDM.
- Sean ministros, indistintamente si ustedes usan o no un cuello clerical.

Los Profetas

En una ocasión trabajé para una profeta. Y lo digo en serio. Ella encajaba el comportamiento modesto y típico de un profeta. Era de baja estatura, delgada y era... una mujer. Que yo sepa, nadie al encontrársela en su camino en la calle le dijo, '¡Allí va una profeta!' Hace años se enfureció al ver las injusticias en nuestra ciudad. El problema de los indigentes se encontraba en aumento. Jóvenes eran arrestados por balaceras. Las minorías no encontraban buenos trabajos. Los negocios estaban desapareciendo. Las escuelas estaban perdiendo a sus buenos maestros. Nuestra comunidad estaba sufriendo. Algo tenía que hacerse.

Necesitábamos de un profeta.

Y en el medio de esta situación triste y deprimente, el Señor nos envió a una. Y solo para mostrar que Dios también tiene sentido del humor, el Señor escogió a una profeta llamada Joy (que significa gozo en inglés).

Joy aceptó el llamado y muy rápido se unió a un grupo pequeño de personas que compartían sus mismos ideales. Formaron un grupo para organizar a la comunidad.

Antes de darse cuenta contaron con más de veinte iglesias, y organizaciones de caridad que tenían la misma idea.

Durante el primer gran mitín del grupo, ella le dijo a una multitud de 800 personas que ya estaba cansada de las injusticias y la opresión. Y les dijo que Dios también ya estaba cansado. Los profetas siempre han sido clamorosos y un poco osados. Como un escritor lo dice, "La profeta Deborah no hubiera podido derrotar a los Cananitas dirigiéndolos únicamente desde su sala ni tampoco Moisés hubiera podido sacar a su pueblo de Egipto solamente escribiéndole cartas al New York Times."[2]

- Coman helado. Una cucharada estimula la parte del cerebro que sabemos que se activa cuando las personas se están divirtiendo. El combinar el consumo de helado y mecerse en un columpio puede producir cantidades aún más grandes de placer.
- Planten un árbol nativo. Existe un significado teológico sobre el plantar una semilla y verla crecer en algo que permanecerá aún después de que usted ya no esté.
- Vean más allá de los comedores para indigentes. Los métodos ya usados de hospitalidad de la iglesia son importantes, pero piense en la forma en que usted y aquellos cercanos a usted pueden transformar la sociedad para que estos comedores sean innecesarios.
- Sean reconciliadores. Pónganse en contacto con parientes alejados o aquellas citas del baile de graduación que haya ofendido. Antes de la venida de Cristo, empiecen la obra de perdón al ofrecerlo a otros y recibirlo ustedes.
- Vean una película. Específicamente, inicien eventos comunitarios utilizando documentales concientizadores. Desafíen a los participantes a cambiar una cosa de la forma en que viven sus vidas para el beneficio de las generaciones futuras.
- Practiquen el Diezmo. Y hablo en serio. Es una práctica antigua que puede transformar su sentido de comunidad y sus ideas de lo que realmente pertenece a Dios.
- Únase a la vida. Ore sin cesar. Naden desnudos. Cante sin pena en la ducha y en la Iglesia. La espera de la Segunda Venida no debe tratarse de morirnos del miedo con respecto a un futuro aterrador. Si amamos a Dios entonces confiamos en Dios. Disfruten de la compañía de su prójimo en el mundo, mientras que todavía estemos aquí. La vida se nos va volando a menos que aprovechemos los momentos importantes.[1]

Un Profeta

La Iglesia Episcopal hizo historia en 1794 cuando ayudamos a establecer la primera iglesia negra en Filadelfia y una de las primeras del país.
En 1786, miembros blancos de la Iglesia Metodista Episcopal de San Jorge decidieron que los miembros negros deberían sentarse en el balcón. Así que el Rev. Absalom Jones, su amigo Richard Allen y otros miembros negros salieron del lugar.
William White, Obispo de Filadelfia, estuvo de acuerdo en aceptar al grupo como una parroquia episcopal. La Iglesia Episcopal Africana de Santo Tomás abrió sus puertas el 17 de julio de 1794. En 1802, Jones fue ordenado sacerdote y sirvió a la parroquia como su rector. El fue el primer sacerdote negro en la Iglesia Episcopal. En la actualidad, cerca del 5% de episcopales son afroamericanos y el 8% de nuestros obispos también lo son.

Joy es una de los muchos profetas contemporáneos que han sido llamados a hablar en contra de las injusticias en la actualidad.

Al decir 'profeta' me refiero a una persona sabia que puede intuir la dirección futura de algunos eventos y quien entonces se atreve a demandar responsabilidad de los que están en el poder. Los profetas entienden el lugar de la justicia social en las tradiciones judías y cristianas.

La voz del profeta puede ser escuchada a lo largo de la Biblia. Tenemos a Isaías, Jeremías, Juan el Bautista, Jesús y Pablo.

A lo largo de la historia, cristianos devotos como William Wilberforce, Sojourner Truth y Martin Luther King, Hijo han sido inspirados por el Espíritu Santo para trabajar en nombre del oprimido y suscitar cambios sociales positivos.

Los tiempos han cambiado pero el papel de los profetas sigue siendo el mismo: demandar la verdad de los que están en el poder – hablar de justicia ante la opresión.

Innumerables personas lo han hecho. Innumerables iglesias lo han hecho.

Incluyendo la mía.

Los episcopales hacemos promesas en nuestros bautismos para "luchar por la justicia y la paz entre todos los pueblos, y respetar la dignidad de todo ser humano."

Hacemos todo lo posible por vivir esta promesa. Y muchas otras iglesias lo hacen también.

Por supuesto que nos hemos equivocado (eso siempre les pasa a los profetas). Pero creemos que es la obra de Dios – por lo que hacemos nuestro mayor esfuerzo para que funcione.

Algo Nuevo

Como la mayoría de iglesias, mi Iglesia entró al siglo XX prohibiéndoles a las mujeres ocupar cualquier posición de liderazgo importante. Las jovencitas no podían esperar ser acólitos o llegar a ser lectores de la Biblia o predicadores laicos, mucho menos sacerdotes. En 1889 se establecieron "diaconisas," pero no se les permitía a las mujeres avanzar más allá. Mientras que los hombres diáconos podían llegar a ser sacerdotes u obispos, las diaconisas podían ser.... bueno, únicamente diaconisas.

Nuestra Iglesia había estado discutiendo sobre los derechos de las mujeres durante años, especialmente en 1920 durante el movimiento del Sufragio. Luego, durante la era de los Derechos Civiles, el problema se hizo más importante. "La maldad del antifeminismo (Jane Craw) [es] idéntico a la maldad del racismo (Jim Craw)" dijo un abogado activista episcopal en 1965. Empezamos a ver entonces las similitudes entre los dos.

En 1970, se reconoció por primera vez a las mujeres como delegadas alternas para la Convención General. La convención votó a favor de eliminar la distinción entre diaconisa y diácono. Esto removió la barrera principal teológica para que las mujeres pudiesen ser sacerdotes.

Este fue un paso extraordinario.

En toda la historia de nuestra Iglesia, nunca habíamos tenido mujeres sacerdotes.

Katharine Jefferts Schori

HERB GUNN

En el 2006, la Muy Reverendísima Katharine Jefferts Schori, Obispa de Nevada, fue electa Obispa Primada de la Iglesia Episcopal. Se convirtió en la primera cabeza femenina de nuestra iglesia y la primera mujer en la Comunión Anglicana que se convirtiera en Primada (Primate en inglés, yo sé que es un poco desafortunado que ese sea el título pero simplemente significa que es la obispa líder de la provincia). La formación de Jefferts Schori es en el ramo de la ciencia y cuando no está atendiendo a su rebaño le gusta pilotear aviones.

¿Acaso Dios nos estaba llamando a hacer algo nuevo?

Escuchamos, estudiamos, oramos y esperamos.

Sin embargo, algunos de nosotros simplemente no pudimos resistirnos. El 29 de julio de 1974, en una ceremonia bien preparada y altamente irregular en Filadelfia, tres obispos decidieron poner manos a la obra. Consagraron a 11 mujeres diáconos como sacerdotes – sin la aprobación de la iglesia en su totalidad.

Estábamos siendo desafiados por nuestros profetas – ¿o no?

Estas fueron consagraciones no autorizadas y las mismas crearon gran conmoción en toda la Iglesia. Sirvieron como un catalizador para la próxima Convención General.

En 1976 debatimos, oramos y entonces votamos para que las mujeres fueran elegibles para servir en las tres órdenes del ministerio; como diáconos, sacerdotes y obispos. Nos unimos a otras provincias y diócesis de la Comunión Anglicana (Hong Kong en 1971 y Canadá al final de 1976) y desde entonces la Iglesia de Inglaterra (1994) ahora ordena mujeres como sacerdotes.

Este voto resultó ser una buena idea.

Solo pregúntenle a alguien que conoce a alguna mujer sacerdote.

El día de hoy, más de un cuarto de nuestros clérigos son mujeres (no está mal, considerando que las mujeres conforman el 58% de nuestra iglesia).[2] No solamente están creciendo en número pero también en poder.

En 1989, Barbara Harris se convirtió en la primera de muchas mujeres a ser consagrada obispa. En el 2006, Katharine Jefferts Schori, la Obispa de Nevada, se convirtió en la primera mujer que haya sido electa como Obispa Primada, la líder de la Iglesia Episcopal.

Décadas después de estas primeras ordenaciones, todavía estamos dando gracias a Dios por el ministerio del clero femenino. Creemos que hemos redescubierto la idea de lo que San Pablo decía cuando escribió, "Ya no importa el ser judío o griego, esclavo o libre, hombre o mujer; porque unidos a Cristo Jesús, todos ustedes son uno solo." (Gálatas 3:28)

En los años setentas tomamos una decisión bastante difícil – y ha dado buenos resultados.

Pensamos que Dios hizo algo nuevo.

Algo Aún Más Nuevo

Al mismo tiempo que nos encontrábamos reconsiderando el papel de la mujer, también se iniciaron conversaciones sobre homosexuales y lesbianas en nuestra Iglesia. Era una

TOMANDO UNA POSTURA EN PRO DE LOS DERECHOS DE LOS HOMOSEXUALES

HERB GUNN

Los episcopales tomaron una postura histórica y controversial a favor de los derechos de los homosexuales en el año 2003 cuando el Rev. V. Gene Robinson fue ordenado Obispo (arriba). Contrario a las opiniones de los críticos, su Diócesis en New Hampshire ha experimentado crecimiento durante su permanencia como Obispo.

cuestión de la que la sociedad en general estaba hablando y un asunto que casi todas las iglesias enfrentan el día de hoy. Las mismas voces que invocaban los derechos civiles y la igualdad para las mujeres ahora se escuchaban a través del movimiento de liberación homosexual de los setentas y ochentas.

Y otra vez, escuchamos estas voces.

La primera convención nacional de un grupo gay episcopal llamado 'Integridad' fue llevada a cabo en Chicago en 1975. Sus miembros eran episcopal fieles que querían aceptar su propia sexualidad como cristianos dentro de la Iglesia y no como marginados. El escuchar las voces de psicólogos, biólogos y la Biblia les convencieron que la orientación sexual ya no debería descalificarles para ser líderes de la iglesia. Algunos episcopales se opusieron firmemente. También citaban las Escrituras así como la tradición antigua de la Iglesia de no ordenar homosexuales. Escuchamos a ambas partes.

En 1976, la Convención General declaró que, "las personas homosexuales son hijos e hijas de Dios" que merecen no solamente el cuidado pastoral, sino también protección legal en la sociedad. Luego, la Convención General de 1979 diferenció entre la orientación homosexual (considerada aceptable) y la actividad homosexual (considerada inaceptable). El acuerdo prohibía la ordenación de cualquiera, homosexual o heterosexual, "que se encontrará en relaciones sexuales fuera del matrimonio."

Esto no detuvo el debate. Algunas diócesis adoptaron una política de "no preguntes, no cuentes" y ordenaron a homosexuales y lesbianas. Otros se rehusaron rotundamente.

El asunto finalmente alcanzó un punto crítico en el 2003.

Después de muchas oraciones, estudio y debate, la Convención General Episcopal votó a favor de aprobar la ordenación de un sacerdote abiertamente homosexual – El Reverendo V. Gene Robinson como Obispo de New Hampshire. Era una persona de 56 años de edad, padre de dos hijos, divorciado y quien había estado en una relación estable por 13 años y quien era profundamente amado por sus seguidores. La mayoría de episcopales creyeron que el Espíritu Santo nos llevaba hacia este difícil camino. Creímos que la aceptación más amplia de los cristianos homosexuales abriría aún más nuestros corazones al poder de la honestidad, la autenticidad, el entendimiento, y la comunidad, acercándonos más al espíritu inclusivo de Jesucristo.

Sin embargo, muchos episcopales tradicionalistas tuvieron serios problemas con esta aprobación, citando su propia interpretación de las Escrituras y la tradición.

Muchos de los miembros de la Comunión Anglicana se molestaron también.

La Comunión Anglicana es un grupo mundial de cuarenta y cuatro iglesias nacionales anglicanas (máyor información en el siguiente capítulo).

Los líderes de algunas de estas iglesias expresaron su desaprobación. Por lo que el Arzobispo de Canterbury dirigió un comité para estudiar el asunto. El mismo llevó a la publicación en el 2004 del Reporte de Windsor. El mismo le pedía a la Iglesia Episcopal el explicar su posición en la ordenación de homosexuales y lesbianas. La siguiente es una parte de la respuesta que dimos:

"Por casi cuarenta años, los miembros de la Iglesia Episcopal hemos discernido sobre la santidad de las relaciones con el mismo sexo y hemos llegado a apoyar la bendición de dichas uniones y la ordenación o consagración de personas en estas uniones. Las congregaciones cristianas han buscado celebrar y bendecir uniones del mismo sexo porque estas uniones exclusivas, de fidelidad para toda la vida y de cuidado del uno con el otro se han experimentado como sagradas. Estas uniones han demostrado ser el fruto del Espíritu Santo: 'alegría, paz, paciencia, amabilidad, bondad, fidelidad, humildad, y dominio propio.' (Gálatas 5:22-25) Más específicamente, los miembros de nuestras congregaciones han visto el fruto de dichas uniones como vidas humanas santificadas por medio de un amor más profundo mutuo y por la unión de personas en fidelidad y al servicio del mundo."3Hay una minoría que permanece molesta y que aún se hace escuchar en nuestras congregaciones y diócesis. Las pláticas referentes a la separación y el reajuste probablemente permanecerán con nosotros por un tiempo. Estamos conscientes de que nuestra membrecía en la Comunión Anglicana puede ser redefinida o hasta revocada.

Pero es nuestra oración que el espíritu de unidad, colegialidad y humildad podrán triunfar. Creemos que Dios nos está guiando a través de esta etapa. Creemos que Dios ha abierto nuestros corazones a un amor y en-

Actúe: El Medio Ambiente

La Oficina de Paz y Justicia trabaja para mantener informados a los episcopales sobre iniciativas importantes como la protección de la Creación:
www.episcopalchurch.org/peace_justice.htm

La Red Ecológica Episcopal ayuda a la Iglesia Episcopal a ser defensores y expresar la necesidad de protección del medio ambiente y la preservación de la santidad de la creación.
www.eenonline.org

La Red Episcopal del Bienestar de los Animales cree que es necesario erradicar la crueldad hacia los animales en todas sus formas y que la lucha por la compasión hacia todas las criaturas es una tarea esencial de la Iglesia:

www.franciscan-anglican.com/enaw

tendimiento nuevo de la inclusividad.

Creemos que Dios nos ha mostrado algo nuevo. Nuestra firme decisión con respecto a este asunto es de hecho un regalo para las próximas generaciones de cristianos, quienes, de acuerdo a las encuestas, tienden a darle menos importancia a este asunto.

Aquellos que nos precedieron han logrado un progreso considerable. La mayoría de las otras iglesias no han alcanzando tanto progreso. Y estos asuntos no van a desaparecer. Nuestro progreso significa que ahora podemos concentrarnos en otras cosas – los asuntos de gran peso de la pobreza, el SIDA y la injusticia. Como San Pablo una vez escribió; "lo que sí hago... es esforzarme por alcanzar lo que está delante, para llegar a la meta y ganar el premio celestial que Dios nos llama a recibir por medio de Cristo Jesús. (Filipenses 3:13-14) Y estas palabras son un llamado a la acción.

Tomando Acción

A mis amigos Marty y Sarah les encanta el café. Un día me enviaron un correo electrónico preguntándome qué clase de café usaba la Iglesia. Yo revisé la marca y les respondí. Me dijeron que no era café de 'comercio justo'. Me explicaron que el café de 'comercio justo' toma en consideración el sustento de quienes lo cultivan y el ambiente donde el café crece.

Y antes de que me diera cuenta, la parroquia estaba usando café de 'comercio justo.' Antes de que me diera cuenta, Marty y Sarah estaban esparciendo la noticia, dirigiendo seminarios y enseñándoles a los feligreses que el comprar café de comercio justo ayuda a los sembradores de café en países en desarrollo a usar políticas ambientalistas para su cultivo así como a recibir un pago justo por su cosecha.

La voz profética de Dios no siempre es dramática.

Actuando: La Pobreza

Los Episcopales por la Reconciliación Global ayudan a que las MDMs ocupen una parte más importante en nuestras vidas: www.e4gr.org

Marty y Sarah, con su actitud calmada y gentil, fueron capaces de mostrar a nuestra comunidad nuevas formas de practicar la justicia. Nos han ayudado a tener conversaciones no solamente sobre el café sino de la contaminación del agua y el calentamiento global. Nos han ayudado a poner nuestra fe en acción. Creemos que esto es lo que Dios nos llama a hacer. Esto es lo que mi Iglesia cree que muchos más de nosotros deberíamos hacer.

Esta es la razón por la que la Iglesia Episcopal financia un ministerio internacional de paz y justicia con sede en Nueva York. También contamos con una Oficina de Relaciones Gubernamentales en Washington, D.C.

Creemos que el Evangelio nos llama a ser intercesores. Como el ex Obispo Primado Frank Griswold dice, "Nuestra voz religiosa en la arena pública es un elemento esencial de quienes somos. No podemos estar ajenos al mundo que nos rodea. La falta de consciencia social es una manera de auto protección y también es una forma de esclavitud. Nos mantiene a salvo dentro de la prisión de nuestros prejuicios y opiniones convenciéndonos de que nosotros poseemos la verdad."5La Oficina de Relaciones Gubernamentales y la Red Episcopal de Políticas Públicas (www.er-d.org/eppn.htm) comunican las posturas de la Iglesia a los legisladores de la nación. Representamos las políticas sociales establecidas por la Convención General y el Consejo Ejecutivo, incluyendo los asuntos de paz y justicia internacional, los derechos civiles, el aborto, el medio ambiente, el racismo, la guerra, los asuntos que afectan a los niños, y muchos más.

En la actualidad, trabajamos fuertemente en las Metas del Desarrollo del Milenio de las Naciones Unidas (Ver página 14). Los mismos son objetivos tangibles que buscan terminar la pobreza y combatir las enfermedades.

Los profetas de hoy nos señalan las necesidades que asechan a los bebes desnutridos, las madres infectadas con el SIDA y los trabajadores de fábricas que han sido despedidos.

Estas son las voces que estamos escuchando. Estas son las voces que creemos todos debemos de escuchar.

Es por eso, que hoy, más que nunca, necesitamos más profetas.

13. HACIENDO CONEXIONES

Yo soy porque nosotros somos.
Nosotros somos por que El es.

Liturgia Eucarística de Kenia

Miembros de la Comunión Anglicana:

- Iglesia Anglicana en Aotearoa, Nueva Zelandia y Polinesia
- Iglesia Anglicana de Australia
- Iglesia de Bangladesh
- Iglesia Episcopal Anglicana de Brasil
- Iglesia Anglicana de Burundi
- Iglesia Anglicana de Canadá
- Iglesia de la Provincia de África Central
- Iglesia Anglicana de la Región Central de América.
- Provincia de la Iglesia Anglicana del Congo
- La Iglesia de Inglaterra
- Hong Kong Sheng Kung Hui
- Iglesia de la Provincia del Mar Indio
- Iglesia de Irlanda
- Nipona Sei Ko Kai (La Comunión Anglicana en el Japón)
- Iglesia Episcopal en Jerusalén y el Medio Oriente
- Iglesia Anglicana en Kenia
- Iglesia Anglicana de Corea
- Iglesia de la provincia de Melanesia
- Iglesia Anglicana de México
- Iglesia de la Provincia de Myanmar (Birmania)
- Iglesia de Nigeria
- Iglesia del Norte de India (Unida)
- Iglesia de Paquistán (Unida)
- Iglesia Anglicana de Papúa Nueva Guinea
- Iglesia Episcopal de las Filipinas
- Iglesia Episcopal de Ruanda
- Iglesia Episcopal Escocesa
- Iglesia de la Provincia del Sureste de Asia
- Iglesia del Sur de India (Unida)
- Iglesia de la Provincia de África Meridional
- Iglesia Anglicana del Cono Sur de América
- Iglesia Episcopal del Sudán
- Iglesia Anglicana de Tanzania
- Iglesia de la Provincia de Uganda
- Iglesia Episcopal en los Estados Unidos de América
- Iglesia de Gales
- Iglesia de la Provincia de África Occidental
- Iglesia de la Provincia de las Indias Occidentales

Las siguientes son seis iglesias extra provinciales:

- Iglesia de Ceilán (Sri Lanka)
- Iglesia Episcopal de Cuba
- Las Bermudas
- Iglesia Lusitana Católica Apostólica Evangélica (Portugal)
- Iglesia Española Reformada Episcopal
- Las Islas Falkland

Haciendo Conexiones

Recuerdo despertar al sonido del llamado del mulá invitando a los fieles a la adoración. Me bañé rápidamente, me vestí y me encontré con mi conductor en el área de recepción.

El resplandor del sol brillaba completamente sobre el horizonte a medida que nos encaminábamos a través del laberinto de estrechas calles de la ciudad.

Levantábamos nubes de polvo a medida que pasábamos a los pakistanís caminando hacia sus trabajos en sandalias. El aroma de desayunos desconocidos inundaba el aire. Se escuchaba música exótica resonando del tablero del auto. Nada se escuchaba de las bocinas.

Llegamos rápidamente. Al entrar alguien me entregó un boletín y un libro. Me encontraba en la Iglesia Anglicana de la Santa Trinidad en Dubái. Estaba en un lugar extranjero.

Pero en corto tiempo me sentí como en casa.

Si alguna vez han viajado bastante lejos, saben lo reconfortante que es encontrar algo familiar entre lo desconocido. El encontrar cosas en común con personas que son totalmente diferentes puede ser un gran desafío. Es de gran ayuda si se tiene conexiones – como una iglesia llena de personas que hablan el mismo idioma.

Como el Radio de una Rueda

Los episcopales rastreamos nuestra herencia en dos direcciones. Vamos de forma vertical hasta San Pedro. Vamos de forma horizontal – a nuestras relaciones con millones de anglicanos en todo el mundo. Juntos conformamos una asociación singular conocida como la Comunión Anglicana.

Somos el tercer grupo más grande de cristianos en el mundo (después de los Católico Romanos y los Ortodoxos)

Hay más de ochenta millones de nosotros y vamos en aumento.

La Comunión Anglicana está compuesta de cuarenta y cuatro asociaciones eclesiásticas nacionales y regionales ubicadas en ciento sesenta países alrededor del mundo. La misma incluye más de quinientas diócesis esparcidas entre todos los continentes.

Nuestra Comunión se ha desarrollado en etapas en los últimos siglos, de manera que su estructura es relativamente nueva. Lo que nos une no es una estructura legal formal o la autoridad de alguna jerarquía eclesiástica. Es la convicción común y la participación en las ideas básicas de la Reforma Inglesa - principalmente, el gobierno episcopal por sucesión apostólica, la adoración litúrgica y el uso informado e interpretado de la Biblia a través de la tradición, la razón y los credos que conforman nuestra fuente principal de doctrina.

Consideramos al Arzobispo de Canterbury como nuestro líder espiritual. Pero comparado a otros como el Papa, el papel del Arzobispo es limitado. El no afirma ser infalible y tampoco dicta leyes que los miembros están obligados legalmente a obedecer. Más bien, el Arzobispo de Canterbury, como la cabeza de la Iglesia de Inglaterra, es visto como la cabeza simbólica de la Comunión. Es el 'primus inter pares,' el primero entre iguales. Aunque sirve como nuestro vocero, no tiene ninguna autoridad formal fuera de Inglaterra. No crea reglas sino más bien hace sugerencias inteligentes y certeras.

Esto da mucha libertad a las iglesias miembros. Básicamente, cada iglesia nacional se rige a sí misma y tiene libertad para buscar y encontrar respuestas específicas a preguntas doctrinales y de organización.

Lo que queremos decir con la palabra Comunión es que los servicios eclesiásticos, las liturgias y las ceremonias que se llevan a cabo en una parroquia son oficialmente reconocidos en otras. Cuando visito una iglesia anglicana en algún otro país las similitudes son evidentes. Como en la Santa Trinidad, en Dubái, la misa es parecida a la de la iglesia en donde vivo.

Comunión, también describe la relación entre el Arzobispo de Canterbury y todas sus iglesias.

Imaginen la rueda de una carreta. El Arzobispo de Canterbury se encuentra al centro. Cada radio sale del centro de la rueda y donde termina es una iglesia. Ser un miembro de la Comunión Anglicana significa estar en comunión con el Arzobispo - ser un radio en la rueda.

Las relaciones con otras iglesias miembros no se desarrollan de la misma manera. Por ejemplo, cuando la Iglesia Episcopal tomó decisiones sobre la participación de las mujeres y de los homosexuales en el ministerio,

Esta es una forma de verlo:

La Convención General = El Congreso
La Cámara de Obispos = El Senado
La Cámara de Diputados = La Cámara de Representantes
El Obispo Primado = El Presidente
El Consejo Ejecutivo = El Gabinete
Las Diócesis = Los Estados o regiones dentro de ellos
Las Convenciones Diocesanas = La Legislatura Estatal
Los Obispos = Los Gobernadores
Los Decanatos = Los Condados
Las Parroquias = Las Ciudades
La Junta Parroquial = El consejo de la Ciudad
Los Rectores = Los Alcaldes

otros miembros de la Comunión expresaron su objeción, pero nuestra estructura significó que no había mucho que pudieran hacer al respecto. Esto no quiere decir que nuestra estructura nunca va a cambiar. Podría hacerlo y muy pronto.

Sin embargo si surgen realineamientos y reconfiguraciones no será la primera vez. O la última. El mantener a las iglesias conectadas es todavía un arduo trabajo. Pero continuaremos trabajando arduamente en ello. Como lo dijo una vez el Arzobispo Desmond Tutu, "Sí, la Comunión Anglicana es bastante desorganizada, pero también es muy amorosa."

La Estructura

También es importante mantenerse conectado a nivel local. Como otras iglesias, nosotros también tenemos una forma propia de organizarnos. Tenemos nuestra propia manera de crear comunidades que parte de una estructura particularmente norteamericana y que ha sido puesta a prueba una y otra vez.

Ustedes recordarán que muchos de los miembros fundadores de la Iglesia Episcopal también fueron participantes claves y aún autores en la creación de la Constitución de los Estados Unidos. No es por casualidad que la estructura de nuestra iglesia refleja la del gobierno de los Estados Unidos.

También podrán recordar que la palabra 'episcopal' proviene de la palabra griega que significa obispo. En nuestra iglesia, los obispos son realmente importantes.

Mientras que las Iglesias Presbiterianas son regidas por los presbíteros (los ancianos) y las Iglesias Congregacionales por las congregaciones, las Iglesias Episcopales son gobernadas en gran manera por los obispos – aunque con una fuerte (y limitante) inclinación por la democracia.

La Iglesia Episcopal se reúne cada tres años para discutir y resolver sus asuntos internos de mayor importancia. Es entonces cuando las dos cámaras, la Cámara de Diputados y la Cámara de Obispos se reúnen en la Convención General.

Mientras que el obispo diocesano es la cabeza de la diócesis, algunas diócesis pueden tener obispos asistentes. Existe también un buen número de obispos jubilados. De hecho, hay más de 300 obispos en la Iglesia Episcopal y casi la mitad de ellos están jubilados.

Cada nueve años estos obispos eligen al Obispo Primado. Piensen en el Obispo Primado como nuestro 'presidente' electo, o por lo menos como nuestro vocero.

La catedral del Obispo Primado es la Catedral Nacional en Washington D.C. El Obispo Primado vive en el Centro de la Iglesia Episcopal localizado en el 815 de la Segunda Avenida en Nueva York (díganle al conductor del taxi que es a una cuadra de las Naciones Unidas en el lado este del centro de Manhattan). Esta también es la sede de la Iglesia Episcopal, denominada "815."

Las diócesis locales son una versión más pequeña de la iglesia nacional. Una diócesis es un grupo de iglesias localizadas en un área geográfica específica. Tal como la Convención General, cada diócesis se reúne en su propia Convención. Cada año el clero y los delegados laicos electos por cada parroquia se reúnen para discutir y resolver sus asuntos.

La mayoría de las diócesis también tienen decanatos o grupos más pequeños de iglesias organizados de acuerdo a la región geográfica – un grupo más pequeño, hace más fácil poder llevar a cabo reuniones más frecuentemente.

La parroquia es la unidad de gobierno más pequeña. Existen más de 7,200 parroquias en la Iglesia Episcopal.

Como en otras iglesias, los episcopales tenemos nuestras propias palabras claves. No tenemos conserjes. Tenemos sacristanes. Nuestras parroquias no tienen sótanos. Tenemos criptas. Y no tenemos pastores. Tenemos rectores.

Aunque algunas parroquias podrán tener un vicario o un sacerdote a cargo, en la mayoría de las parroquias episcopales quien está a cargo es el rector. Los rectores no son simplemente nombrados por el obispo. Los rectores son 'llamados', o contratados por la parroquia después de un proceso de búsqueda. A menudo, los candidatos interesados provienen de todas partes del país. Normalmente toma cerca de un año para encontrar a un nuevo rector una vez que el rector anterior se ha marchado. Se entrevista a los finalistas extensivamente y son sometidos a una revisión de sus antecedentes. Una vez seleccionado, el rector puede contratar asistentes ordenados, algunas veces conocidos como coadjutores o rectores asociados, quienes se reportan al rector y no a la parroquia.

Cada año la parroquia lleva a cabo su reunión anual. La cual es parecida a la Convención Diocesana. Es ahí donde se realiza todo el papeleo de la parroquia. Aprobamos el presupuesto. Y también elegimos (o aprobamos) la junta gobernante de la parroquia. A esta junta se le conoce como (otra palabra clave) la junta parroquial.

La junta parroquial es la entidad legal de la parroquia para cuestiones relacionadas con los bienes y propiedades de la misma. Normalmente se compone de doce personas. Y normalmente se reúne una vez al mes. El trabajo de la junta parroquial es, "ayudar a definir y articular la misión de la congregación; apoyar a la iglesia en su misión con palabras y hechos, seleccionar al rector, garantizar una organización y planeamiento efectivo y administrar los recursos y las finanzas."[1]Las juntas parroquiales tienen un guardián mayor quien está a cargo de la Iglesia cuando la misma no tiene rector y a su vez apoya al rector cuando lo hay. Otro líder, llamado el guardián menor, esta normalmente a cargo del terreno y la propiedad.

A menudo otros miembros de la junta parroquial actúan como personas intermediarias dentro de la parroquia para informar a la junta sobre lo que está sucediendo.

Nuestras estructuras no son siempre eficientes. Algunas veces causan más daño que bien. Pero en su mayoría, son bastante efectivas para ayudarnos a hacer la obra a la cual hemos sido llamados – gran parte de la cual es el trabajo misionero.

La Misión

Tengo unos amigos llamados, Bob y Shirley. Están jubilados. Les encanta viajar. Un día vinieron a mi oficina y me dijeron que querían hacer un viaje especial. Querían hacer un viaje misionero.

En breve nos pusimos en contacto con la Diócesis de Haití. Y muy prontamente Bob y Shirley se encontraban viajando a Puerto Príncipe. Y muy prontamente Bob y Shirley habían inspirado una asociación de cinco años entre nuestra parroquia y la Iglesia de la Ascensión en la ciudad de Thor, Haití.

A través de las amistades que Bob y Shirley formaron, nuestra parroquia ha podido enviar libros y útiles escolares, champú, medicinas, herramientas y grandes cantidades de muchas otras cosas para nuestros nuevos amigos en Haití.

A cambio hemos recibido cartas, trabajos de arte y quizás algún día, una visita. Cada domingo oramos los unos por los otros.

¿Te gustaría conectarte con una parroquia en algún país en desarrollo?

www.episcopalchurch.org /companion.htm

Dale de comer al mundo y aumenta tu vocabulario

www.freerice.com ayuda a alimentar al mundo vis-à-vis (a través de) un cuestionario de vocabulario sin fin. Por cada respuesta correcta, 20 granos de arroz son donados para ayudar a combatir el hambre en el mundo (el sitio obtiene fondos a través de anuncios publicitarios). Puede parecer poco pero vean que pasa después de haber jugado una hora.

El crear conexiones de esta índole es común en mi Iglesia. Las misiones mundiales y locales son mantenidas y fomentadas por la Iglesia Episcopal. La labor misionera de carácter permanente, a largo y a corto plazo está disponible para candidatos calificados, vean el enlace para "Misión" que se encuentra en www.episcopalchurch.org

Nuestra asociación con parroquias dentro de los Estados Unidos es valiosa también. A menudo parroquias vecinas copatrocinan programas educativos para jóvenes y adultos. Con frecuencia las parroquias reciben a peregrinos y jóvenes trabajadores de congregaciones muy lejanas quienes necesitan vivienda y otros recursos.

Nuestro símbolo rojo, blanco y azul tiene su propia misión. Ha dado la bienvenida a muchos visitantes de afuera que buscan un servicio dominical. Es posible que exista por lo menos uno en tu ciudad.

Nuestra tradición compartida, nacional e internacionalmente, nos ofrece un mundo de recursos y oportunidades, las cuales nos equipan de manera singular para el desafiante trabajo que no espera – sentimos una enorme admiración y damos gracias por estas conexiones dadas por Dios.

14. EL REFUGIO

"[La Fe Episcopal] es una religión en donde reírnos
de nuestros propios disparates es una disciplina espiritual básica
y se nos invita a regocijarnos en lo mucho que todavía nos queda por
aprender de Dios y no de lo mucho que ya sabemos."

L William Countryman

Un Breve Diccionario Episcopal

Anglicana: Esta palabra simplemente significa inglés. Indica los orígenes ingleses de la Iglesia Episcopal. Se utiliza para referirse a la Iglesia Anglicana o a la Comunión Anglicana.

Arzobispo de Canterbury: Este es el Obispo Primado de la Iglesia de Inglaterra. Es el líder espiritual honorario de la Comunión Anglicana.

Catedral: Es una Iglesia Episcopal, la cual es la iglesia oficial del Obispo de una Diócesis. Algunas veces estas iglesias tienen la palabra Catedral en sus nombres, pero no siempre. Un sacerdote, llamado el Deán de la Catedral, usualmente la administra. Se les llama, "El Muy Reverendo." No todas las iglesias grandes son catedrales así como no todas las catedrales son grandes.

Episcopal: Este es el nombre de una forma de organización eclesiástica, que significa que es gobernada por un obispo.

Evensong (Misa Vespertina): El mismo es un servicio vespertino de adoración que es cantado, o una oración vespertina, o un servicio de oración vespertina que incluye un coro.

Fuente: Una pila con agua utilizada para los bautismos.

Guardián Mayor: Este es el líder laico principal de la congregación.

Guardián Menor: Este es quien asiste al Guardián Mayor; usualmente esta cargo de los asuntos referentes a los bienes de la iglesia local; en algunas ocasiones ella o él toman el lugar del Guardián Mayor al final de su término.

Junta Parroquial: Esta es la junta de gobierno de una parroquia local episcopal la cual está integrada de miembros laicos. Este grupo usualmente toma decisiones básicas sobre el presupuesto de la parroquia, planes de construcción, etc. Normalmente está dirigida por un Guardián Mayor quien está asistido por un Guardián Menor quien normalmente es el sucesor del Guardián Mayor al final de su plazo.

Nártex: Es el espacio separado del resto de la nave por divisiones fijas en una iglesia.

Nave: Esta es el parte principal de la Iglesia donde la congregación se sienta. Viene de una palabra antigua que significaba barco – en las iglesias antiguas, las vigas del techo asemejan las vigas y las maderas de los lados de un barco.

Sacristán: Esta persona normalmente es el jefe de los servicios de mantenimiento y custodio y puede también desempeñar obligaciones adicionales como la de tocar la campana de la iglesia.

Sacristía: Este es el cuarto cerca del altar donde los sacerdotes se visten para el servicio. También es el cuarto donde se guardan las vasijas de la comunión y las vestimentas.

Santuario: Esta es la parte de una Iglesia que se encuentra alrededor del altar. Algunas veces se utiliza para referirse a todo el interior de la iglesia pero éste no es el uso regular episcopal.

815: Esta es la referencia corta al complejo del edificio central de la Iglesia Episcopal en Nueva York: El Centro de la Iglesia Episcopal, 815 Segunda Avenida, Nueva York, NY 10017, (800)-334-7626.[2]

El Refugio

De vez en cuando alguien pregunta porque las puertas de nuestras iglesias están pintadas de rojo.

Y dependiendo de mi estado de ánimo ese día, la respuesta puede que incluya la referencia de que el rojo es un símbolo de refugio enraizado en el Antiguo Testamento (Números 35:9-15) 'ciudades de refugio' otorgado a cualquiera que hiriere de muerte a otro sin intención.

O la respuesta también puede hacer referencia a una historia aún más lejana, en un Egipto antiguo donde la mayoría creía que los espacios sagrados guardaban a su vez objetos sagrados. Aquellos que huían de la violencia a menudo aceleraban la velocidad para entrar en los templos de Osiris y Amón sabiendo que sus perseguidores creían que era un sacrilegio remover a una persona de dicho lugar sagrado.

O puede que me salga una sublime respuesta pontifical sobre la ley inglesa del Rey Adalberto (aproximadamente 600 AD) que otorgaba el derecho de asilo a fugitivos sospechosos cuando entraban a una iglesia.

Y por supuesto, en ocasiones digo que la pintura roja estaba en oferta.

Muchas Iglesias Episcopales pintan sus puertas rojas porque así como en el caso de la mayoría de iglesias, consideramos a nuestras parroquias como lugares de refugio. El rojo es el color de la sangre de Cristo, del sacrificio de los mártires, del poder del Espíritu Santo y del terreno sagrado que yace más allá de nuestras puertas rojas. Es un recordatorio importante para los miembros de la iglesia pero un mensaje aún más profundo para nuestros visitantes.

Somos un lugar seguro.

Somos un lugar pacífico.

Somos un lugar de refugio.

Visítennos

¿Así que están pensando en entrar a través de esas puertas rojas y de hecho probar nuestra Iglesia Episcopal?

A mí me pasó.

Sé que puede dar un poco de miedo – especialmente cuando uno no conoce ni un alma en la parroquia. Pero no se preocupen, la mayoría de episcopales no mordemos (al menos no duro).

De hecho, la mayoría de nosotros tendemos a ser introvertidos, y aún tímidos.

Esto significa que detrás de la formalidad y la reverencia que se encuentra en muchas parroquias así también se encuentra a las personas más calurosas y de corazón generoso que vivan en la faz de la tierra. Recuerden que la mayoría de episcopales son conversos y que más de alguna vez fueron visitantes como ustedes. Y ya que la mayoría de las congregaciones episcopales son pequeñas o medianas, usted no pasará desapercibido por mucho tiempo. Se estará sentando a la par de personas que buscan una comunidad auténtica, personas que guardarán su lugar cuando usted llegue y quienes le extrañarán cuando no se encuentre allí.

Cuando se visita una Iglesia Episcopal por la primera vez, verifique el horario de adoración. Muchas de las parroquias cambian su horario de adoración en el verano, en el invierno, durante las fiestas, y en programas especiales – así que llame con anticipación.

Cuando sea el gran día, llegue temprano, recoja un boletín, y simplemente tome asiento y observe todo lo que acontece.

La mayoría de parroquias están bañadas en símbolos.

Se puede necesitar toda una vida para poder apreciar las pinturas, las esculturas, los vitrales y los espacios sublimes. De la misma manera que sucede con una oficina o una sala, usted puede deducir mucho por la forma en que la Iglesia está decorada.

También tendrá tiempo para familiarizarse con el orden del servicio.

Tal vez quiera tomar algunos de los libros que se encuentran en la banca frente a usted – El Libro de Oración Común y el Himnario 1982 o algún otro libro de música.

Durante el transcurso del servicio, usted se parará, se sentará o se arrodillará. Nos paramos como muestra de respeto. Nos paramos para cantar, para escuchar el Evangelio, para decir el Credo y algunas congregaciones se paran para orar de la misma manera que probablemente los judíos del tiempo de Jesús lo hacían. Algunas personas se paran mientras que el sacerdote dice la Plegaria Eucarística.

El sentarnos significa que estamos listos para aprender. Nos sentamos para escuchar las lecturas del Antiguo y el Nuevo Testamento así como para escuchar el Salmo y el sermón.

El arrodillarnos es la manera en que demostramos reverencia (recordamos que el Señor Todopoderoso esta aquí – y esto ha hecho que muchas personas se arrodillen). Nos arrodillamos para confesar nuestros pecados, para recibir la absolución y para orar (aunque el estar de pie durante la oración es una postura antigua y aceptable).

También, algunas personas hacen genuflexión (arrodillarse brevemente en una rodilla) o se inclinan haciendo una reverencia. Algunas personas hacen la señal de la cruz. Algunas personas se arrodillan cuando otras están de pie. Estos son actos personales de devoción y son completamente opcionales.

Si lo quiere hacer, únase a los demás y si no, no lo haga.

La naturaleza antigua y sagrada de dichas "oraciones corporales" son respetadas siempre, y quisiera pensar que la mayoría de las personas tienen algo mejor que hacer que llevar un recuento de la devoción de los demás.

Como a la mitad del servicio es posible oír cantar al coro o a un solista. Se le llama himno. Es una pieza musical ofrecida a Dios. Nosotros observamos y disfrutamos. Pero no se sorprenda si nadie aplaude cuando termina. Vemos a los himnos mayormente como una ofrenda a Dios no como entretenimiento para una multitud. Tampoco aplaudimos cuando terminamos un himno. Por supuesto que puede aplaudir si usted quiere – pero ya le hemos advertido.

Al final del servicio, llegará el momento de la Santa Comunión. En todas las parroquias episcopales todos son bienvenidos a participar.

Si usted es un cristiano bautizado tiene la libertad de recibir la comunión.

Si no ha sido bautizado o no quiere tomar la comunión, acérquese de todos modos, cruce sus brazos sobre su pecho y el sacerdote le dará la bendición.

Si usted va a recibir la comunión, la mayoría de las parroquias esperan que usted coloque sus manos hacia adelante, colocando una palma sobre la otra para recibir el pan. Es posible que escuche estas palabras, "El Cuerpo de Cristo." La respuesta apropiada es "Amén" (Aunque he escuchado a muchos otros diciendo desde un '¡Gracias, Jesús!' a un "¡Solo tengo cuatro años!')

El pan de la comunión puede tener diferentes formas. Algunas parroquias utilizan pan pita hecho en casa. Otras usan ostias pre-prensadas y sin levadura (algunos dicen que es más fácil creer que Dios resucitó de entre los muertos a que creer que estas delgaditas ostias son realmente pan – pero lo son). Cuando viene el cáliz, está en la libertad de mojar su pan en el vino (la palabra oficial del millón es intinción). O también puede tomar un trago de vino. La persona con el cáliz le acercará la copa y esperará que usted le guíe hacia sus labios, pero usualmente no esperará que la tome en sus propias manos.

Una vez que regresa a su lugar no se sorprenda si observa personas orando de rodillas. Después de la Oración de Poscomunión, de la bendición y de la despedida usualmente se canta un himno final. A excepción de ocasiones muy raras, nadie sale de la Iglesia hasta que termine el himno final.

A partir de este momento está en la libertad de irse. Sin embargo – puede que le hayan invitado (verbalmente o por medio del boletín) a participar después de la misa en una actividad peculiar de la Iglesia Episcopal. Le llamamos la Hora del Café.

A los episcopales nos encanta tomar nuestro café dominical por la mañana – algunos hasta le llaman nuestro tercer sacramento.

Esto normalmente se lleva a cabo en un salón cercano o en el salón parroquial, el cual puede ser o no ser fácil de encontrar. De hecho, puede que le saludemos o puede que no. Una de las grandes razones es porque la Hora del Café es una hora social importante para nosotros. Ya que la mayoría de las Iglesias Episcopales son pequeñas, consideramos la misma como nuestra 'reunión familiar' semanal. Nos encontramos con personas que conocemos y queremos. Nos encontramos con personas que solo vemos en la Iglesia. Desafortunadamente, un rostro desconocido puede pasar desapercibido.

Por eso, aquí les doy un consejo: tomen la iniciativa y preséntense ustedes mismos. Su valor puede ser grandemente recompensado con nuevas amistades. Como en el caso de las familias, puede que cueste un poco integrarse en las parroquias, pero una vez que lo haga, el beneficio es normalmente mayor que el esfuerzo.

Bautismos, Bodas y Funerales

Una de las formas en que Dios trae a personas a mi Iglesia es por medio de acontecimientos especiales en sus vidas, como los bautismos, las bodas y los funerales.

¿Haciendo Planes de Boda? Encuentre joyería de comercio justo en www.cred.tv

La mayoría de las parroquias consideran un honor el participar en estos eventos. Por supuesto que tenemos pautas a seguir. Están diseñadas para ayudar a las personas a entender el significado y los límites de estos ritos sagrados. Algunas parroquias piden a las personas que se hagan miembros primero, otras no lo hacen. Si va a una parroquia cercana a usted le podrán dar respuestas más específicas. Unirse a una Iglesia Episcopal es más que todo asistir. Se ha dicho que la iniciación cristiana es un 10% de adoctrinamiento y un 90% de incorporación. Dependiendo si usted ha sido o no bautizado determinará que se requiera de una clase corta o una reunión con el rector.

El trabajo verdadero de ser miembro se hace cuando usted se integra como parte de la parroquia, participando en la adoración regular y de la vida de la Iglesia.

Todo empieza con el bautismo.

Los episcopales bautizamos adultos y bebés.

Nuestro Libro de Oración Común nos dice, "El Santo Bautismo es la iniciación completa, por medio del agua y el Espíritu Santo, en el Cuerpo de Cristo que es la Iglesia." (LOC 218) Para los adultos, el bautismo es una declaración del señorío de Cristo en la vida de uno. Para los niños, por medio de las promesas hechas por los padres y padrinos, significa el compartir la ciudadanía en el pacto, la comunión en Cristo y la redención por medio de Dios.

El Bosquejo de la Fe o Catecismo (que se encuentra en la parte de atrás del Libro de Oración Común) lo explica de esta manera, "Las promesas son hechas en nombre de los infantes por los padres y padrinos, quienes garantizan que éstos crecerán dentro de la Iglesia, para conocer a Cristo y poderle seguir." (LOC 751)

Toda persona que es bautizada cuenta por lo menos con una persona, preferiblemente dos, que desempeñan el papel de padrinos. Si el candidato al bautismo es un bebé también son comúnmente llamados padrinos. No es necesario que sean episcopales pero deberán ser cristianos.

Y deberán estar dispuestos a cumplir las promesas que han hecho. Los padres del bebé normalmente se unen a los padrinos durante la ceremonia. Es apropiado dar regalos como libros de oración, Biblias o joyería. A medida que el pequeñuelo crece, algunos padrinos le envían tarjetas en su aniversario para recordarle su compromiso con Cristo a través del bautismo.

En la mayoría de las parroquias episcopales, una vez que una persona ha sido bautizada está en libertad de recibir la Santa Comunión, independientemente de su edad. En el caso de los niños esta es una experiencia que moldea sus vidas y les recuerda desde pequeños de las palabras usadas en su ceremonia del bautismo; que quedan 'sellados por el Espíritu Santo en el Bautismo y marcados como propiedad de Cristo para siempre.'

A medida que el niño crece, los episcopales acostumbramos buscar la confirmación. Esta es una ocasión formal para hacer una declaración pública de su fe en Cristo – la misma declaración que fue hecha en su nombre durante su bautismo.

El Obispo es el que hace las confirmaciones. El Obispo impone sus manos sobre los candidatos e invoca al Espíritu Santo. También se tienen padrinos en la confirmación, pero su papel no es el mismo que el de los padrinos del bautismo. Durante la confirmación, el jovencito o adulto hace una declaración independiente de su fe.

Si alguien quiere ser confirmado en la tradición episcopal y fue bautizado en otra denominación cristiana, no hay ningún problema. Los episcopales reconocemos el bautismo de otras tradiciones únicamente si el mismo fue hecho con agua y en el nombre de la Trinidad (Padre, Hijo y Espíritu Santo).

Este es el mismo caso para personas que desean hacerse episcopales y vienen de otras tradiciones cristianas. A esto le llamamos ser 'recibido' en la Iglesia Episcopal. Nuevamente, no hay necesidad de volver a ser bautizado o confirmado, siempre y cuando estos ritos se hayan realizado apropiadamente en otra tradición cristiana.

Me gusta pensar que esto es así porque reconocemos que la fe es un

Apropiado para una Princesa

La belleza, elegancia y esplendor de la liturgia anglicana se puede observar aún mejor durante las bodas. La Lady Diana y el Príncipe Carlos mostraron esto al mundo cuando contrajeron matrimonio en la Catedral de San Pablo en Londres. (arriba)

camino en el que todos nosotros nos encontramos. En vez de intentar invalidar las experiencias pasadas, somos mucho más propensos a ver las manos de Dios en ellas. Usamos los ritos y las ceremonias de la iglesia como ladrillos de construcción sobre los cuales Dios continua moldeando nuestras vidas.

Para muchas personas, su primer contacto con la Iglesia Episcopal es través de su matrimonio.

Gracias a la asombrosa arquitectura y decoración cinematográfica de muchas parroquias, muchas de ellas se encuentran inundadas con solicitudes para su uso.

Algunas parroquias deben rechazar a algunas parejas simplemente porque no tienen los recursos para acomodarlas. Si le interesa casarse en una Iglesia Episcopal, lo más indicado es ponerse en contacto con la parroquia y preguntarles sobre sus costumbres particulares.

Los episcopales vemos al matrimonio como un, "pacto solemne y público entre un hombre y una mujer en la presencia de Dios." Los ministros del matrimonio son el hombre y la mujer. El trabajo del clérigo y de todo aquel que asiste a la Misa es el de ser testigos y bendecirles.

La Iglesia Episcopal requiere que por lo menos la novia o el novio sean cristianos bautizados y que por lo menos haya dos personas presentes

Los funerales son celebraciones también, aunque no siempre se sienta de esta manera. Son agridulces. Por supuesto que estamos tristes. Por supuesto que lloramos por la pérdida. Esto es necesario, apropiado y aceptable.

Sin embargo, los funerales también nos obligan a ver a la muerte como el inicio de una nueva vida. Finalmente, hablamos sobre las promesas de la Resurrección.

Las liturgias y oraciones para funerales del Libro de Oración Común son particularmente conmovedoras y bellas. No puedo contarles cuantas veces he presenciado cómo las mismas han dado el tan necesitado alivio al dolor y al estrés que normalmente asechan a los familiares del difunto.

Los episcopales usualmente celebramos los funerales dentro de la iglesia, aunque también lo hacemos en las Funerarias y en otros lugares.

Muchas parroquias cuentan con un cementerio, un jardín especial o un columbario en donde se depositan las cenizas. Esta es una culminación emotiva para un funeral. Nos recuerda que aunque las vidas terrenales de nuestros seres queridos han terminado, de una manera misteriosa, todavía se encuentran entre nosotros... hablándonos, inspirándonos, y recordándonos... que el refugio que se encuentra en las iglesias de Dios son solamente una anticipación al refugio que ha de venir.

No me sorprendería que las puertas del cielo estén pintadas de rojo.

15. EL TESORO

"Creo que debe existir, detrás de todo esto,
no una ecuación, pero más bien una idea completamente sencilla.
Y para mí esa idea, cuando finalmente la descubramos,
Será tan convincente, tan inevitable,
Que nos diremos los unos a los otros,
"Ah que hermoso. ¿Como podría haber sido de otra manera?'"

John Archibald Wheeler

El Tesoro

No hace mucho tiempo estaba almorzando con un hombre de mi parroquia quien me decía cuan orgulloso estaba de su iglesia. Siguió hablando de su aprecio por nuestra tradición, liturgia y muchas de las cosas que hemos examinado en los capítulos anteriores. Decía, "Estoy tan feliz de pertenecer a una comunidad que trata conscientemente con problemas actuales."

Luego mi amigo dijo:

"Creo que la Iglesia Episcopal es el tesoro escondido del cristianismo."

Mi amigo repetía el optimismo que muchos de nosotros tenemos hoy en día por nuestra iglesia y su futuro.

La capellán de la Columbia University, Winnie Varghese dice, "Una encuesta reciente hecha por el Center for American Progress... reportó que solo un 4% de los encuestados citaron 'el aborto o la homosexualidad' como la crisis moral más seria en los Estados Unidos hoy.'... "en el mismo estudio, un 89% de los padrones registrados encuestados estuvieron de acuerdo o bastante de acuerdo con que el gobierno debería defender la decencia y dignidad básica para todos y tomar mayores pasos para ayudar a los pobres y desfavorecidos en el país.

¡La oración común de la Iglesia Episcopal está en sintonía con el 89% del público estadounidense!'1

Y esta es una gran razón por la cual este libro fue escrito.

La mayoría de nosotros queremos ayudar a reparar a nuestro mundo quebrantado. La mayoría de nosotros buscamos lugares que nos ayuden a lidiar con nuestra fe - para encontrar la respuesta a preguntas personales sobre significado y propósito - especialmente dentro del contexto de nuestro trabajo y de nuestras familias. La mayoría de nosotros queremos lugares que defiendan e inculquen los valores cristianos donde podamos criar a nuestros hijos. La mayoría de nosotros queremos ser generosos, considerados y vivir fielmente para esparcir bondad y paz.

Pero nos hemos dado cuenta que no podemos hacerlo solos.

Necesitamos de otros. Necesitamos comunidades. Necesitamos cristianos que compartan nuestros ideales para que nos ayuden a convertirnos en la clase de personas que queremos ser.

La respuesta más popular es, y siempre lo ha sido, la iglesia.

De hecho, el investigador de religión Robert Wuthnow dice que el índice de asistencia a la iglesia no ha disminuido desde la Segunda Guerra Mundial, "los estadounidenses son como siempre lo han sido, un pueblo religioso – no conocidos generalmente por la profundidad de su espiritualidad, mas sin embargo orientados en gran manera hacia lo espiritual."2

Nuestro reto como cristianos del siglo XXI y nuestra meta como episcopales es el hacer esta espiritualidad aun más profunda. Para nosotros no es suficiente simplemente creer en Cristo sino que queremos ir más allá. Queremos hacernos discípulos de Jesús de una manera más profunda - llevando la cruz y amando al mundo. Como lo hemos visto en el capítulo dos, nuestra cultura ha creado una infinidad de obstáculos con el propósito de mantenernos alejados de ser la clase de creyentes conscientes que queremos ser. La preocupación con el 'ser' y las 'cosas' ha infiltrado poco a poco en toda las Iglesias, capillas y comunidades de fe, incluyendo la mía, haciendo que la continua renovación y relevancia de nuestras Iglesias sea la labor más grande que enfrentamos los cristianos de Norte América.

Nuestro reto es encontrar y ayudar a construir lugares que nos ayuden a crecer como discípulos - y llegar a comprender nuestros anhelos espirituales dentro del contexto pluralista creciente del ambiente que nos rodea. Nuestro reto es encontrar y ayudar a construir lugares que nos ayuden a sanar internamente para continuar y poder reflejar esto exteriormente y así cumplir con nuestro papel, tomando total ventaja de las oportunidades increíbles que tenemos delante de nosotros para sanar al mundo.

La mayoría de nosotros estamos indecisos de hacer esto participando en alguna cruzada moral o tal vez seleccionando alguna teología que aísle, espante, juzgue o condene. De hecho, la renovación y la reactivación de la espiritualidad estadounidense no se presentarán dentro de estructuras como estas – que son demasiado restrictivas y carecen de atracción. Se requerirá de un ambiente más accesible, inclusivo y comprensivo. Requerirá de lugares como la Iglesia Episcopal.

Así es, estamos en un período de transición. Estamos experimentando nuestra porción de la disminución sistemática de membrecía en las iglesias.

Muchas de nuestras parroquias están necesitando renovación desesperadamente. Pero el polvo se ha comenzado a asentar y se aproxima un nuevo amanecer.

Creo que hoy en día es muy emocionante ser episcopal.

Como hemos visto, nuestra Iglesia tiene un compromiso renovado para:

- Alimentar a los hambrientos y vestir a los desnudos;
- Luchar contra la injusticia hacia el pobre y el inocente;
- Defender los derechos de igualdad y el medio ambiente;
- Ofrecer hospitalidad radical y mantener la paz enérgicamente;
- Hacer discípulos que traigan a Cristo al mundo tanto en palabra como en hechos.

A pesar de las fuerzas polarizadoras que se encuentran activas en esta era de transición, estamos surgiendo firmemente como una alternativa distinta y dinámica para muchos cristianos. Nuestro práctico Libro de Oración Común, delinea una fe ortodoxa centrada en la vida y las enseñanzas de Jesús. Esto nos ayuda a crear comunidades litúrgicas y sagradas dedicadas a formar discípulos, edificando familias santas y haciendo una diferencia en el mundo.

Encuentre más información

La Iglesia Episcopal tiene un sitio en el internet muy completo que probablemente puede responder a cualquier pregunta que puedan imaginarse. Para mayor información visiten: www.episcopalchurch.org o www.comeandgrow.org

Nuestro propósito es establecer un fundamento sólido en Jesucristo enraizado en la Biblia, la tradición antigua y el análisis crítico. Creemos en los valores de la humildad, el perdón, la comprensión y la inclusión. Creemos en alcanzar acuerdos razonables, la moderación y el encontrar un punto medio.

Hemos hecho algunas afirmaciones atrevidas y tomado algunas acciones definitivas en la búsqueda sincera de Jesús y del siempre presente y sagaz Espíritu Santo.

Nos importa la oración y la justicia.

Estamos cada vez menos interesados en las peleas de la iglesia.

Nos importa cada vez más hacer de este planeta un mejor lugar.

Hoy más que nunca, necesitamos de la Iglesia Episcopal.

Espero que este libro les ayude a entender nuestro camino y poder ver nuestro incomparable papel en el mundo. Espero que este libro les ayude a descubrir el papel que la Iglesia Episcopal puede tener en su propio camino espiritual. Pero más que todo, espero que este libro les ayude a ver la profundidad del amor del Señor y de su fidelidad en acción en medio de un grupo de cristianos imperfectos pero absolutamente determinados.

Es un amor activo, trabajando siempre para renovar, restaurar y revitalizar. Es un amor persistente que se rehúsa a abandonarnos o a abandonar nuestras iglesias. Y es un amor accesible encarnado en la devoción de las comunidades cristianas que se esfuerzan por ser la cálida sonrisa y los brazos abiertos de Jesús.

Elevar este amor es la llave para la renovación de cualquier iglesia. Y mientras mi iglesia practica más y más esto, con más facilidad puedo imaginarme a Jesús como episcopal.

NOTAS

Capítulo 1: Haciendo

[1] Paul Hewson, "Declaraciones de Bono durante el Desayuno de Oración Nacional," 2 de febrero del 2006, www.data.org/archives/000774.php

[2] Jeffrey D. Sachs, The End of Poverty: Economic Possibilities for Our Time (New York: Penguin Press, 2005), citado del comunicado de prensa, www.earth.columbia.edu/news/2005/story0301-05e.html

[3] Sabina Alkire y Edmund Newell, What Can One Person Do? (New York: Church Publishing, 2005), 78.

[4] Ron Sider, Rich Christians in an Age of Hunger: Moving from Affluence to Generosity, (Nashville: Thomas Nelson Publishing, 1996, fifth edition), 26.

Capítulo

2: Transición

[1] Robert B. Reich, "Totally Spent," The New York Times, 13 de enero del 2008, [página Op-Ed]

[2] Thomas de Zengotita, Mediated: How the Media Shapes Your World and the Way You Live In It, (New York: Bloomsbury, 2005)

[3] Stephen Prothero, Religious Literacy: What Every American Needs to Know and Doesn't, (San Francisco: HarperCollins, 2007), 30.

[4] Marva Dawn, Reaching Out Without Dumbing Down: A Theology of Worship for this Urgent Time, (Grand Rapids: Eerdmans, 1995), 6-7.

[5] Prothero, 12, 25.

[6] David Kinnaman y Gabe Lyons, UnChristian: What a New Generation Really Thinks About Christianity, (Grand Rapids: Baker, 2007) 11.

[7] Prothero, 36.

[8] Sider, pp. 23-24.

[9] Steve Mullet, pasaje citado de Reaching Out Without Dumbing Down: A Theology of Worship for this Urgent Time, (Grand Rapids: Eerdmans, 1995), 228.

[10] Alan Roxburgh, Crossing the Bridge: Church Leadership in a Time of Change, (Rancho Santa Marguerita, CA: Percept Group, 2001), 24.

[11] Shirley Guthrie, "Voices of 2001," Christian Century 2001, www.christiancentury.org

[12] Diana Butler Bass, Christianity for the Rest of Us: How the Neighborhood Church is Transforming the Faith, (San Francisco: Harper, 2006), 36-37. Capítulo

3: Pensando

[1] Richard Giles, Always Open: Being an Anglican Today, (Cambridge, MA: Cowley), 115.

[2] Donald Armentrout, An Episcopal Dictionary of the Church, (New York: Church Publishing, 2000), 431.

[3] Lawrence N. Crumb, "Anglican Words," The Anglican Digest, vol. 39, no. 6, (Adviento, 2007): 21. [4] John Polkinghorne, Quarks, Chaos and Christianity: Questions to Science and Religion, (New York: Crossroad, 1996), 11-12.

[5] Committee on Science, Technology and Faith of the Executive Council, The Episcopal Church in the United States of America, A Catechism of Creation: An Episcopal Understanding, Part II: Creation and Science, (New York: The Domestic and Foreign Missionary Society of the Protestant Episcopal Church in America, 2005), www.episcopalchurch.org/ 19021_58398_ENG_HTM.htm

[6] http://www.websterpresby.org/history.asp (obtenido el 22 de junio del 2008). También ver el especial From Earth to the Moon de Tom Hanks de 1998 en HBO.

Capítulo 4: Todos son Bienvenidos

[1] Cable News Network (CNN), "Ten Commandments Judge Removed from Office," 14 de noviembre del 2003, www.cnn.com/2003/LAW/11/13/moore.tencommandments (obtenido en enero del 2008)

[2] L. William Countryman, Forgiven and Forgiving, (Harrisburg, PA: Morehouse Publishing, 1998), 10.

[3] El Libro de Oración Común, (New York: Church Hymnal Corp., 1979), 259.

Capítulo 5: Aceptando

[1] Dennis Maynard, Those Episkopols, (La Jolla, CA: Dionysus Publications, 1994), 26.

[2] Arzobispo Desmond Tutu, "Tutu and Franklin: A Journey Toward Peace," Documental PBS, (originalmente transmitido el 9 de febrero del 2001). Las transcripciones se encuentran en: www.pbs.org/journeytopeace/meettutu/past.html (accessed January 2008)

[3] John Danforth, "Danforth's Challenge to the Episcopal Church," del Servicio Noticioso Episcopal, 17 de junio del 2006, www.episcopalchurch.org/75383_75972_ENG_HTM. (obtenido en enero del 2008)

Capítulo 6: Dando Gracias

[1] Dawn, (pasaje citado de Wade Roof), 132.

[2] Dawn, (pasaje citado de Martin Marty), 145.

[3] Robert Wuthnow, All in Sync, (University of California Press: Berkeley y Los Angeles, CA, 2003), 76.

[4] Miller McPherson, Lynn Smith-Lovin, Matthew E. Brashears, "Social Isolation in America: Changes in Core Discussion Networks over Two Decades," American Sociological Review, vol. 71, (Junio del 2006): 353-375.

[5] Rebecca Lyman, Early Christian Traditions (The New Church's Teaching Series, v. 6), (Boston: Cowley, 1999), 65.

[6] Himno 302, The Hymnal, 1982, (New York: Church Publishing)

[7] Leonel L. Mitchell, Praying Shapes Believing: A Theological Commentary on the Book of Common Prayer, (Harrisburg, PA: Morehouse Publishing, 1985), 181.

[8] George Wayne Smith, Admirable Simplicity: Principles for Worship Planning in the Episcopal Tradition, (New York: Church Publishing, 2001), 95.

Capítulo 7: Dando Forma

[1] Lilian Calles Barger, Eve's Revenge: Women and a Spirituality of the Body, (New York: Brazos, 2003), 43-44.

[2] Ibid.

[3] Robert Wuthnow, All In Sync, (University of California Press: Berkeley y Los Angeles, CA, 2003), 28.

[4] Pasaje citado de Anthony Gottleib, George Barna, "Atheists with Attitude," The New Yorker, 21 de mayo del 2007: 79.

[5] La Resolución A135 nos invita a adoptar los Hábitos Sagrados, aprobada por la Convención General de la Iglesia Episcopal del 2003.

Capítulo 8: La Palabra

[1] "Built to Last," The New York Times Magazine 5 de diciembre de 1999: 84. [un artículo del Magazine Desk]

[2] Prothero, 30.

[3] La Oficina de Comunicaciones del Centro de la Iglesia Episcopal, To Set Our Hope on Christ: A Response to the Invitation of the Windsor Report, (New York, 2005), 135.

[4] Roger Ferlo, Opening the Bible, (The New Church's Teaching Series, v. 2), (Boston: Cowley, 1997), 4.

[5] Ferlo, (pasaje citado de Richard Hooker), 5.

[6] Ibid., 6

Ibid., 8.

Capítulo 9: El Mapa

[1] Jeffrey Lee, Opening the Prayer Book, (The New Church's Teaching Series, v. 7), (Boston: Cowley, 1999), 7.
[2] Ibid.
[3] Ibid., 9.
[4] Leonel L. Mitchell, Praying Shapes Believing: A Theological Commentary on the Book of Common Prayer, (Harrisburg, PA: Morehouse Publishing, 1985), 2.
[5] Evelyn Underhill y 'The Message of the Wesley's' as quoted by Brennan Manning, The Ragamuffin Gospel, (Sisters, OR: Multnomah, 2000), 13.

Capítulo 10: Las Raíces

[1] Kenneth Scott Latourette, A History of Christianity, Vol. 1, (Harper: San Francisco, 1975), 1-4.
[2] Michael Paulson, "Ma Siss' Place, Part I: Birth," The Boston Globe 23 de diciembre del 2007, www.boston.com/news/specials/masiss/ (obtenido en enero del 2008)
[3] Prothero, 176.
[4] Debe notarse que esta gráfica no es a escala. Su propósito no es tanto representar el tamaño oficial de las denominaciones como el de demostrar su relación, afiliación y evolución.
[5] Joseph Buchanan Bernardin, An Introduction to the Episcopal Church, (Harrisburg, PA: Morehouse, 1983), 21.
[6] John R. H. Moorman, A History of the Church in England, (London: Adam y Charles Black, 1976), 3.
[7] Allison Weir, Henry VIII: King and Court, (London: Pimlico, 2002), 124.

Capítulo 12: Los Profetas

[1] Lindsay Lunnum, "10 Things to Do While Waiting for the Second Coming," mensaje publicado el 8 de noviembre del 2006, www.trinitywallstreet.org/welcome/?article&id=800 (obtenido en enero del 2008)
[2] Frederick Buechner, Whistling in the Dark: An ABC Theologized, (New York: HarperOne, 1993), 49.
[3] Louie Crew, "Female Priests in the Episcopal Church," Rutgers University, 2002, http:// newark.rutgers.edu/~lcrew/womenpr.html#02 (obtenido en enero del 2008)
[4] La Oficina de Comunicaciones del Centro de la Iglesia Episcopal, To Set Our Hope on Christ: A Response to the Invitation of the Windsor Report, (New York, 2005), 8.
[5] La Oficina de Paz y Justicia del Centro de la Iglesia Episcopal, Engage God's Mission: Policy for Action: The Social Policies of the Episcopal Church, U.S.A., (Diciembre del 2003)

Capítulo 14: El Refugio

[1] Armentrout, 541.
[2] Gerald L. Smith, "Episcopal Things: A Guide for Non-Episcopalians to Many of the Terms and Phrases in use Around Sewanee," 1994, http://smith2.sewanee.edu/glossary/Glossary—Episcopal.html> (obtenido en enero del 2008)
[3] Religious News Service, "Dipping Worse than Sipping at Eucharist," The Christian Century, 11 de noviembre del 2000.

Capítulo 15: El Tesoro

[1] Winnie Varghese, "The Price of Compromise," Episcopal Life, 1 de octubre del 2006: 19, http://www.episcopalchurch.org/26769_78160_ENG_HTM.htm (obtenido en enero del 2008)
[2] Wuthnow, 131.
[3] Ibid., 52.

BIBLIOGRAFIA

Alkire, Sabine and Edmund Newell. What Can One Person Do? Faith to Heal a Broken World. New York: Church Publishing, 2005.

Armentrout, Donald. An Episcopal Dictionary of the Church. New York: Church Publishing, 2000.

Bernardin, Joseph. Introduction to the Episcopal Church. Harrisburg, PA: Morehouse Publishing, 1990.

Borsch, Frederick. The Spirit Searches Everything: Keeping Life's Questions. Cambridge, MA: Cowley, 2005.

Buechner, Frederick. Listening to Your Life. New York: HarperOne, 1992.

Butler Bass, Diana. Christianity for the Rest of Us: How the Neighborhood Church is Transforming the Faith. San Francisco: Harper, 2006.

Countryman, L. William. Forgiven and Forgiving. Harrisburg, PA: Morehouse Publishing, 1998.

Danforth, John. Faith and Politics: How the Moral Values Debate Divides America and How to Move Forward Together. New York: Viking, 2006.

Dawn, Marva. Reaching Out Without Dumbing Down: A Theology of Worship for this Urgent Time. Grand Rapids: Eerdmans, 1995.

de Zengotita, Thomas. Mediated: How the Media Shapes Your World and the Way You Live In It. (New York: Bloomsbury, 2005)

Fenhagen, James C. The Anglican Way. (Cincinnati: Forward Movement, 1981)

Ferlo, Roger. Opening the Bible, (The New Church's Teaching Series, v. 2). (Boston: Cowley, 1997)

Giles, Richard. Always Open: Being an Anglican Today. (Cambridge, MA: Cowley, 2005)

Hein, David and Gardiner H. Shattuck, Jr. The Episcopalians. (New York: Church Publishing, 2004)

Kinnaman, David and Gabe Lyons. UnChristian: What a New Generation Really Thinks About Christianity. (Grand Rapids: Baker, 2007)

Krumm, John. Why Choose the Episcopal Church?. (Cincinnati: Forward Movement, 1974)

Latourette, Kenneth Scott. A History of Christianity, Vol. 1. (Harper: San Francisco, 1975)

Lee, Jeffrey. Opening the Prayer Book, (The New Church's Teaching Series, v. 7), (Boston: Cowley, 1999)

Maynard, Dennis. Those Episkopols. (La Jolla, CA: Dionysus Publications, 1994) Mitchell, Leonel L. Praying Shapes Believing: A Theological Commentary on

the Book of Common Prayer. (Harrisburg, PA: Morehouse Publishing, 1985)

Moorman, John R. H. A History of the Church in England. (London: Adam and Charles Black, 1976)

Peacocke, Arthur. Paths from Science Towards God. (Oxford: Oneworld Publications, 2001)

Polkinghorne, John. The God of Hope and the End of the World. (New Haven: Yale University Press, 2002)

Polkinghorne, John. Quarks, Chaos and Christianity: Questions to Science and Religion. (New York: Crossroad, 1996)

Roof, Wade Clark. Spiritual Marketplace: Baby Boomers and the Remaking of American Religion. (Princeton: Princeton University Press, 1999)

Sachs, Jeffrey D. The End of Poverty: Economic Possibilities for Our Time. (New York: Penguin Press, 2005)

Sider, Ron. Rich Christians in An Age of Poverty: Moving from Affluence to Generosity. (Nashville: Thomas Nelson Publisher, 1997)

Smith, George Wayne. Admirable Simplicity: Principles for Worship Planning in the Episcopal Tradition. (New York: Church Publishing, 2001)

Snydor, William. Looking at the Episcopal Church. (Harrisburg, PA: Morehouse, 1996)

Tucker, Beverly D. and William H. Swantos, Jr. Questions on the Way: A Catechism Based on the Book of Common Prayer. (Cincinnati: Forward Movement, 2006)

Webber, Christopher and Frank Griswold III. Welcome to the Episcopal Church!

(1999, Morehouse Group). Weir, Allison. Henry VIII: King and Court. (London: Pimlico, 2002)

Wuthnow, Robert. All in Sync. (University of California Press: Berkeley and Los Angeles, CA, 2003)

RECURSOS EN EL INTERNET

www.kiva.org
Ayuda a alguien a salir de la pobreza

www.globalrichlist.com
¿Qué tan rico eres comparado con el resto del mundo?

www.e4gr.org
Episcopales por la Reconciliación Global

www.nothingbutnets.org
Compra una red contra mosquitos y salva una vida.

www.er-d.org
Conoce cómo la Iglesia Episcopal ayuda a sanar al mundo

www.explorefaith.org
Aprende más sobre la religión

www.beliefnet.org
Aprende aún más sobre la religión

www.LeaderResources.org
Encuentre una excelente curricula, etc.

www.forwardmovement.org
Encuentre excelentes devocionales y otros libros

www.theforgivenessproject.com
Increíbles historias sobre el perdón

www.cred.tv
Joyería de comercio justo

www.episcopalchurch.org/elife y www.episcopalcafe.org
Conéctate con la Iglesia Episcopal

www.episcopalchurch.org/peace_justice.htm
Oficina de Paz y Justicia de la Iglesia Episcopal

www.er-d.org/eppn.htm
Abogando por la justicia

www.eenonline.org
La Red Episcopal Ecológica

www.franciscan-anglican.com/enaw
La Red Episcopal en favor de los Animales

www.freerice.com
Alimenta al mundo mientras que aumentas tu vocabulario

www.episcopalchurch.org
Página de Internet oficial de la Iglesia Episcopal

www.theredbook.org
Encuentra una parroquia episcopal cerca de ti

http://andromeda.rutgers.edu/~lcrew/
Una divertida colección de hechos, gráficas y estadísticas sobre la Iglesia Episcopal

www.sarahlaughed.net
Un útil blog acerca del leccionario

www.dayone.org
Descargue podcasts de sermones relevantes de excelentes predicadores procedentes de una variedad de ministros cristianos

www.cathedral.org/cathedral
Descargue podcasts de la Catedral Nacional en Washington

www.LeaderResources.org/Jesuswasanepiscopalian
Encuentre aún más recursos y póngase en contacto con el autor

Made in the USA
San Bernardino, CA
03 November 2014